Elouan Verne-Lacelle

Jeunesse

PIÈGE SUR INTERNET

GÉRARD DELTEIL

PIÈGE SUR INTERNET

Illustrations intérieures :
Jean-Marie Renard

Première édition publiée sous la direction d'Éric Biville

1

Le défi de Pierre

« Qu'est-ce que tu paries que je suis capable de monter tout seul en haut de l'Empire State Building ? »

Pour avoir une idée pareille, vous allez penser qu'il faut être un peu cinglé, surtout quand on a douze ans et demi, un jour où les visites sont interdites au public.

« Ton pari est complètement débile. »

Mais Pierre n'a rien voulu entendre. Dès que les profs ont eu le dos tourné, il a quitté le groupe. Je n'ai pas essayé de le retenir. Il est bien trop têtu. Je lui ai fait un clin d'œil et j'ai rejoint les autres sans rien dire. Il m'avait fait jurer de garder le secret.

Toute cette histoire a commencé parce que Mme Lescure, notre prof de français, a vexé Pierre. On venait tout juste d'arriver à New York et de déposer nos sacs à l'hôtel. Les profs avaient décidé de visiter l'Empire State

Building parce que ça n'était pas trop loin et qu'il était trop tard pour faire autre chose.

Voilà donc toute la classe de cinquième du lycée Brassens de Nareuil-sur-Bièvre dans les rues de New York. Il faisait horriblement froid. Le sol était verglacé, il neigeait et un vent terrible nous tombait dessus à chaque carrefour. Tout le monde portait des bonnets ou des casquettes fourrées. Je n'aurais jamais imaginé l'Amérique comme ça. Les profs souffraient autant que nous, mais ils ne voulaient pas le montrer. Ils étaient trois : Fizard, le prof d'histoire-géo, Mme Lescure et Duffik, le prof d'anglais, qu'on surnomme « La Baleine » à cause de sa corpulence. C'est lui qui avait eu l'idée de ce voyage.

La façade de l'Empire State Building était tout de même impressionnante. On aurait dit une muraille qui s'élevait à perte de vue et se fondait dans le ciel. Devant l'entrée, il y avait des touristes japonais qui se faisaient photographier en compagnie de vigiles en uniforme et des femmes qui tournaient avec des pancartes sur le ventre. À l'intérieur du gratte-ciel, il y avait une galerie marchande avec des boutiques. Ça ressemblait un peu à la tour Montparnasse. C'était assez luxueux, avec du marbre partout, mais je m'attendais tout de même à tomber sur un endroit plus original.

Fizard part se renseigner. Pour savoir si on peut avoir un billet de groupe. À son retour il fait une drôle de tête.

« Désolé, mes amis, le panoramique est fermé aujourd'hui. Nous ne pourrons pas monter en haut. »

Tout le monde était déçu. Avoir fait tout ce chemin dans le froid pour rien !

« Et si on leur explique qu'on est en voyage scolaire et qu'on ne reste que sept jours, ils ne feront pas une exception pour nous ? » a dit Pierre.

Mme Lescure l'a regardé de haut.

« Tu veux tenter l'expérience ?

— Pourquoi pas ?

— Tu te crois assez fort en anglais ? Mon pauvre garçon, les employés ne comprendraient pas un traître mot de ton charabia ! »

Ça, c'était vache. Mme Lescure n'avait pas besoin de lui rappeler devant tout le monde qu'il était nul. D'abord nous étions en vacances et elle n'est pas prof d'anglais ! Sans doute qu'elle avait besoin de se défouler parce qu'elle avait eu froid et qu'elle avait manqué plusieurs fois de se casser la figure dans la rue sur le sol gelé. Mais si elle avait pu savoir ce que cette réflexion allait déclencher...

Pierre m'a entraîné à l'écart, l'air furieux.

« Je suis peut-être mauvais en anglais, mais je vais leur montrer ce que je sais faire ! »

2

Tout seul en haut du gratte-ciel

Quand les profs et les autres sont partis se balader dans le centre commercial, pour ne pas ressortir tout de suite dans le froid, je suis resté derrière. Personne n'a fait attention à moi. Seul Hervé s'est retourné pour me faire un clin d'œil. Je savais que c'était un bon copain et qu'il ne me trahirait pas. Je repérai d'abord discrètement les lieux.

L'accès des ascenseurs était surveillé par deux vigiles, les frères jumeaux de ceux qui avaient posé pour la photo avec les Japonais. Il y en avait quatre en tout : deux qui patrouillaient dans les couloirs et deux qui restaient plantés en permanence devant les ascenseurs. Pour passer, les gens devaient glisser une carte magnétique dans un appareil de contrôle.

Un petit écran permettait aux gardiens de vérifier

que la carte était valable, sinon l'engin se mettait à émettre une sorte de *tiit-tiit-tiit.* Quand ça sonnait, le type décrochait son téléphone, sans doute pour demander à quelqu'un l'autorisation de laisser entrer le propriétaire de la mauvaise carte. Bien sûr, je ne comprenais pas ce qu'il disait, d'abord j'étais trop loin, ensuite, comme l'a dit la mère Lescure, je suis mauvais en anglais. Mais j'avais déjà vu faire ça dans plusieurs films et je savais très bien comment ce système fonctionnait. Cette vieille peau de vache de Lescure nc perdait rien pour attendre. La tête qu'elle ferait quand elle apprendrait que j'étais monté tout seul en haut de l'Empire State Building pendant que les autres se traînaient comme des idiots dans les galeries marchandes !

J'ai observé le manège pendant un moment, puis j'ai profité d'un incident pour me faufiler discrètement. Ça aussi, je l'avais vu faire dans un film. C'est toujours quand les vigiles sont occupés qu'il faut agir. L'appareil s'est mis à faire *tiiit-tiiit,* la grosse dame à qui appartenait la carte a protesté quand le gardien lui a demandé d'attendre. Elle devait être pressée. Elle gesticulait tellement que l'autre gardien s'est rapproché de son collègue pour voir ce qui se passait. Bref, personne n'a fait attention à moi. J'aurais aussi bien pu passer avec une bombe si j'en avais eu une dans mon sac. J'aurais cru les Américains plus fortiches que ça pour la sécurité. Mais un jeune de mon âge, évidemment, c'est plus dur à repérer qu'un adulte. On se méfie moins et je suis plus petit. Eux, ils étaient tellement grands qu'il leur aurait sans doute fallu baisser la tête pour me voir. La société qui les emploie doit les choisir pour leur taille, elle ferait mieux d'en prendre des plus malins...

Me voilà donc dans l'ascenseur, entre une dame noire en tailleur bleu marine à boutons dorés, sans doute une hôtesse, et un monsieur très élégant. Leurs chaussures étaient si bien cirées que je me demandai comment ils faisaient pour marcher dans la rue sans les salir. Peut-être qu'ils venaient en voiture. Le monsieur faisait des sourires à l'hôtesse et ne s'occupait pas du tout de moi, comme si j'étais transparent. Peut-être qu'il me prenait pour un coursier. Ça, c'était une idée ! J'aurais dû prendre un paquet sous mon bras pour me faire passer pour un coursier, mais il était trop tard et je n'avais pas de paquet à ma disposition.

Tout marchait comme sur des roulettes. Les chiffres des étages défilaient à une vitesse fantastique. Et pourtant on n'avait même pas l'impression de bouger, tellement l'ascenseur était silencieux. Un peu comme dans le T.G.V. où l'on ne sent pas la vitesse. Et soudain, la cabine s'immobilise. Les gens descendent. Et c'est à cet instant que je réalisai qu'on venait seulement d'atteindre le 30e, et que l'ascenseur ne montait pas plus haut ! J'aurais dû m'en douter : chaque ascenseur ne dessert que certains étages... Trop tard : la cabine avait déjà entamé sa descente. J'allais me retrouver au rez-de-chaussée, au niveau des vigiles !

Un bon réflexe : j'appuyai sur le bouton du 10e, juste à temps. Le palier était désert. Il fallait maintenant choisir le bon ascenseur, celui qui montait au panoramique, pour voir New York de tout en haut, sinon ça ne valait pas la peine de me donner tant de mal. Pour prouver à toute la classe que j'étais bien monté, j'avais l'intention de prendre une photo avec mon appareil jetable. Ça ne serait peut-être pas une superphoto, mais elle suffirait à leur en mettre plein la vue – c'est le cas de le dire ! La tête qu'ils allaient faire, et la tête des profs !

« *Wher'ar'you going, boy ?*[1] »

Je ne l'avais pas vu arriver. Il se penchait vers moi en me souriant de toutes ses dents, comme dans un clip pour une marque de dentifrice. Il avait un costume impeccable, des lunettes à monture d'acier et les cheveux coupés si court que, sur le coup, je me suis demandé s'il n'appartenait pas au F.B.I. En tout cas c'est comme ça qu'ils les montrent dans les films...

« *Wher'ar'you going, kid ?* » répéta-t-il.

Comme je vous l'ai dit, je ne suis pas bon en anglais, mais mon niveau aurait tout de même dû me permettre de comprendre. C'était une question de prononciation, il mangeait ses mots. Celui-là, il parlait bien comme les Américains des films, mais d'habitude il y a des sous-titres.

Un seul mot suffisait pour me trahir. Et si c'était un homme du FBI, mieux valait ruser. Je pointai mon

1. « Où vas-tu, gamin ? »

doigt vers le bas, pour lui faire croire que je descendais. Il appuya sur un bouton. Les portes d'acier coulissèrent. Il me fit signe de monter dans la cabine et dit encore quelque chose que je ne compris pas du tout. Ouf !

Cette fois, je m'arrêtai au 5e. Tout le problème était de savoir si des ascenseurs permettaient de monter directement en haut, à partir du 5e. J'examinai les numéros lumineux au-dessus des portes. Celui qui allait le plus loin ne dépassait pas le 35e. Allons-y pour le 35e ! Je changeai ainsi d'ascenseur encore deux fois avant de réussir à atteindre le 99e, que je croyais être l'étage le plus élevé du building. Je voyageai d'abord en compagnie de trois jeunes filles qui rigolaient, puis avec deux hommes en complets gris, très sérieux, genre banquiers.

Sur le palier du 99e, aucune pancarte n'indiquait le panoramique. Il n'y avait que des portes vitrées avec des noms d'entreprises. Peut-être qu'il fallait prendre un ascenseur spécial pour parvenir au panoramique. Je m'étais planté. À tout hasard, je poussai une des deux portes « *out* » – ça, je savais quand même ce que ça voulait dire... Après avoir suivi un petit couloir, j'ouvris une deuxième porte. Elle donnait sur un escalier en colimaçon avec des murs en brique. Le bruit me surprit. C'était une sorte de ronflement, très fort. Je crus d'abord qu'il s'agissait d'un moteur puis je compris que c'était le vent qui produisait ce vacarme. Il y avait de quoi être impressionné ! Surtout quand on pensait qu'on se trouvait au 99e étage. C'était une idée complètement idiote, mais je me demandai ce qui se passerait si la tour se cassait tout d'un coup, à force d'être secouée par le vent. Fizard nous avait expliqué que les bâtiments de grande hauteur plient sous le vent et se balancent légèrement. Penser que j'étais en train de me balancer comme ça à trois cent et quelques mètres de haut n'était pas rassurant. L'Empire State Building avait quand même près de soixante ans, et si les techniciens chargés de son entretien étaient aussi nuls que les vigiles, il y avait de quoi avoir peur !

Je n'avais pas envie de traîner dans cet escalier. Même si le danger n'était pas plus grand, je me sentais plus en sécurité de l'autre côté des portes « *out* ». Je revins donc sur mes pas. J'avais raté mon coup. Brusquement j'étais pressé de redescendre pour retrouver les profs et les copains.

La deuxième porte « *out* » venait de se refermer derrière moi, quand un groupe de gens sortit de l'ascenseur. Parmi eux, j'aperçus Dents-Blanches, l'homme du FBI. Heureusement, lui ne m'avait pas vu, du moins je ne crois pas. S'il me repérait, j'étais fichu. Je n'hésitai pas une seconde : je poussai la première porte vitrée qui se trouvait devant moi. J'eus le temps de lire l'inscription en lettres dorées :

Muffins Administrators Corps.

Il y avait ensuite une seconde porte vitrée avec la

même inscription. Emporté par mon élan, je la franchis aussi. Sans trop réfléchir. Je réalisai alors que j'allais tomber sur un ou une employée et je cherchais dans ma tête les mots pour dire : « Je suis français, je me suis trompé d'étage », mais je ne les trouvais pas. C'est à ces moments-là qu'on regrette de ne pas avoir révisé davantage. La Baleine et la mère Lescure auraient bien rigolé ! Mais il n'y avait pas un chat. Je me trouvais dans un salon, avec des canapés en cuir, une table basse et des piles de revues, comme dans la salle d'attente d'un médecin. Il y avait aussi un bureau ultramoderne, en plastique moulé, avec le nom de l'entreprise, mais personne derrière. Il ne devait pas être loin de cinq heures de l'après-midi, peut-être que les employés avaient quitté leur travail. Au-delà de ce salon, on apercevait des bureaux avec des ordinateurs et des paperasses, et aussi de grandes baies vitrées. Mon cœur se mit à battre plus vite. Je n'avais peut-être pas réussi à atteindre le panoramique, mais j'allais prendre ma photo au travers d'une de ces fenêtres.

Je marchais vers la porte qui donnait accès à ces bureaux quand j'entendis des pas. Une silhouette apparut derrière les vitres. Je me précipitai derrière un canapé où je m'accroupis. Les pas se rapprochèrent. Je contournai le canapé en me déplaçant accroupi et jetai un œil.

C'était une femme. Une blonde coiffée à la mode, très court derrière avec une frange sur le front. Elle portait un imperméable vert et des talons hauts. Sans doute qu'elle venait elle aussi en voiture car je ne la voyais pas affronter les rues de New York avec des vêtements aussi légers. Elle souriait et chantonnait. Elle était très jolie et aurait fait une parfaite héroïne de film. Peut-être qu'elle avait rendez-vous sur le palier avec Dents-Blanches, le type du F.B.I. Tout de même, lui, je ne le trouvais pas assez bien pour aller avec elle...

La femme blonde éteignit la lumière. Le salon fut plongé dans une demi-obscurité. Le seul éclairage provenait maintenant des fenêtres des bureaux. La nuit commençait à tomber. Pour ma photo, c'était raté. On ne verrait rien, surtout avec un appareil minable comme le mien. J'attendis quelques minutes avant de quitter ma cachette, puis je me dirigeai en tâtonnant vers la sortie. La porte en verre résista à ma poussée. Je cherchai une poignée. Il n'y en avait pas. Seulement une serrure électromagnétique. Je n'avais rien entendu quand la femme blonde l'avait verrouillée...

Je compris alors que j'étais enfermé.

3

Hervé garde le silence

On n'a remarqué la disparition de Pierre qu'au moment du dîner. Après la balade dans le centre commercial de l'Empire State Building, nous sommes revenus directement à l'hôtel. Il nous restait une heure à passer dans nos chambres avant le repas. Les profs nous ont conseillé de prendre une douche bien chaude pour nous remettre en forme. Le retour avait été dur. Dans les rues de New York, c'était la tempête. Le vent soufflait si fort qu'on avait parfois l'impression qu'il allait nous emporter. Plusieurs d'entre nous avaient perdu leurs casquettes.

Nous étions logés par groupes de trois ou quatre, selon le nombre de lits des chambres. De la mienne, au 27e étage, on avait une vue impressionnante. Tout en bas, au fond d'une sorte de gouffre, on apercevait les voitures qui circulaient dans Lexington Avenue. À cette distance, elles avaient l'air de jouets minuscules. De temps en temps, on entendait le hurlement d'une sirène. La neige tourbillonnait dans le ciel où se découpaient les gratte-ciel dont les fenêtres commençaient à s'éclairer. Dehors, il devait faire moins dix ou moins quinze, mais, dans cette chambre bien chauffée, nous pouvions confortablement profiter du spectacle.

Nous sommes restés collés à la vitre pendant au moins dix minutes, fascinés par New York. Je me sentais tout excité de me trouver dans cette ville, mais l'absence de Pierre gâchait ma joie. Qu'attendait-il pour rentrer ? S'était-il perdu dans les rues ? Ça me paraissait peu probable car je le savais assez débrouillard. Mes deux compagnons de chambre étaient Thierry Tabar, le premier de la classe, et Victor, le géant – c'est un Noir, ses parents sont originaires d'un village d'Afrique où il paraît que tous les adultes font deux mètres. Ils étaient eux aussi tellement énervés par le voyage qu'ils ne se demandaient même pas pourquoi nous n'étions que trois dans cette chambre de quatre, alors que le sac de Pierre était posé sur son lit...

Lorsque l'heure du dîner est arrivée, Pierre n'avait toujours pas réapparu. Le personnel nous avait réservé deux grandes tables. Beaucoup de gens mangeaient déjà. Il y avait toute une bande de touristes italiens qui chantaient, et aussi des Allemands, des Japonais et quelques Français. Les profs nous avaient expliqué que c'était un hôtel jadis assez chic, mais que sa direction recevait maintenant beaucoup de groupes organisés pour réussir à le remplir hors saison. Il y avait au moins mille chambres en tout, ça ne devait pas être facile de trouver tous ces clients !

Quand nous avons tous été installés devant nos assiettes, le maître d'hôtel est venu nous compter. C'est alors qu'on a constaté qu'une place était vide.

« Il y en a un qui traîne encore dans sa chambre, dit La Baleine. Qui est-ce ? »

Je fis celui qui n'avait rien entendu. La Baleine répéta sa question, puis se leva et fit le tour des tables.

« Où est passé Lecouvreur ? Qui l'a vu ? » Il prit la liste dans sa poche et ajusta ses lunettes sur son nez. « Voyons, il est dans la chambre de... Tabar, Lévine et Mangin. L'un de vous n'a qu'à monter le chercher. Il a dû s'endormir.

— Ce n'est pourtant pas le travail scolaire qui l'a épuisé », fit remarquer finement Mme Lescure.

Encore une méchanceté gratuite.

Je conservai le nez plongé dans mon assiette vide.

« Eh bien, qu'est-ce que vous attendez ?

— Il n'est pas dans la chambre, dit Tabar.

— Comment ça, il n'est pas dans la chambre ? Il n'est tout de même pas resté dehors...

— En tout cas, on ne l'a pas vu, confirma Victor.

— Il a dû se tromper de chambre, c'est bien lui ! Alors qui l'a vu ? »

Silence complet.

« Mangin, monte le chercher dans sa chambre, s'énerva La Baleine.

— Je vous assure qu'il n'y est pas, m'sieur.

— Monte tout de même. »

Victor déplia ses grandes jambes et traversa la salle à manger d'un pas traînant. Je me sentis très mal à l'aise. Heureusement l'entrée arriva et tout le monde se jeta dessus, si bien qu'on ne parla plus de Pierre jusqu'au retour de Victor.

« Alors ? » s'inquièta La Baleine.

Victor haussa les épaules.

Nos trois profs entamèrent un petit conciliabule, puis Fizard se leva.

« Je vous demande un peu d'attention. Un de vos camarades, Pierre Lecouvreur, semble avoir disparu de la circulation. Si c'est une blague, elle est de mauvais goût. Vous savez ce que nous avons dit avant le départ ? »

Nouveau silence.

La Baleine prit le relais.

« Alors, personne n'a une idée de l'endroit où se trouve Lecouvreur ? »

Une seule personne aurait pu répondre, et c'était moi, mais j'avais donné ma parole à Pierre.

4

Enfermé dans les bureaux

J'essayai toutes sortes de trucs pour ouvrir la porte, comme d'introduire une vieille carte de téléphone dans la fente, ou de la forcer avec un canif, mais la serrure magnétique avala ma carte et je cassai la lame de mon couteau. Quant à la paroi de verre, elle faisait au moins deux centimètres d'épaisseur, pour la briser il aurait fallu utiliser une barre de fer, et ç'aurait certainement déclenché une alarme. Rien à faire, j'étais bel et bien bouclé dans les bureaux de *Muffins Administrators Corps* ! Il existait sûrement un moyen d'alerter les agents de sécurité pour qu'ils viennent me délivrer, mais, si on me trouvait ici, j'allais passer un sale quart d'heure. Les profs risquaient de me réexpédier aussi sec à Paris. Peut-être même qu'ils allaient s'affoler et annuler le reste du séjour par ma faute. Je ne pouvais tout de même pas faire un coup pareil aux autres. Le voyage coûtait cher et plusieurs familles avaient fait des sacrifices pour envoyer leurs enfants.

Je commençai par paniquer, puis peu à peu je me mis à réfléchir et me dis que tout n'était pas perdu. Il ne me restait qu'une solution : attendre le lendemain quand les premiers employés arriveraient. Le tout était de ne pas m'endormir ou de me réveiller avant leur arrivée... Peut-être même que je n'aurais pas à attendre jusqu'au lendemain : j'avais vu dans les films que les sociétés de nettoyage viennent souvent faire les bureaux la nuit pour ne pas déranger le personnel pendant la journée. Avec une femme de ménage, peut-être que les choses s'arrangeraient et qu'elle ne me livrerait pas aux vigiles. Mais le salon et les bureaux ne semblaient pas avoir besoin d'être nettoyés : tout était nickel, pas un papier, pas un mégot. On ne faisait probablement pas le ménage toutes les nuits...

Si personne ne débarquait ici avant le lendemain matin, j'étais bon pour passer toute la nuit ici. Hervé ne dirait rien, je lui faisais entièrement confiance, mais les profs allaient s'inquiéter, et peut-être même alerter la police... Il fallait trouver un moyen de les rassurer sans leur dire où je me trouvais. Et ce moyen existait, c'était le téléphone !

On nous avait remis à tous une carte de l'hôtel Lexington, avec l'adresse et le numéro de téléphone, au cas où nous nous perdrions, et je l'avais recopiée sur mon carnet. Qu'est-ce que j'allais bien pouvoir raconter ? Si je demandais à parler à un prof, il me poserait des questions... Non, il ne fallait pas parler à un prof, mais seulement laisser un message. D'ailleurs, chercher un prof dans l'hôtel prendrait un temps fou et ça permettrait peut-être aux flics de découvrir l'origine de l'appel. Quand on ne parle que quelques secondes, ils ne peuvent pas y arriver, du moins dans les films, mais peut-être qu'ils ont fait encore des progrès...

Je pénétrai dans les bureaux et commençai par aller jeter un œil par les fenêtres. Avec la neige, on ne voyait pratiquement rien. Impossible de distinguer la rue, tout en bas. J'avais l'impression d'être perdu en plein ciel. Ça faisait un peu le même effet qu'en avion.

Pour téléphoner, il fallait que je prépare ma phrase à l'avance, sinon je n'y arriverais jamais. Le mieux était même de l'écrire sur un bout de papier et de la lire. Je déchirai donc une page de mon calepin puis m'emparai d'un feutre et de mon dictionnaire de poche.

J'écrivis :

« *Good morning, sir...* »

Non, ça n'allait pas. On n'était pas le matin. Que disent donc les Américains quand ils se téléphonent le soir ? La Baleine l'avait sûrement expliqué cent fois mais je n'avais pas écouté... *Good night* ? *Good afternoon* ? Après tout, le plus simple était de dire « *Hello, sir* », car de toute manière je ne pourrais pas me faire passer pour un Américain, même Tabar le premier de la classe, qui connaît tous les verbes irréguliers par cœur, n'y arriverait pas...

Je rayai *Good morning.*

« *Hello sir, I am French, I am Pierre Lecouvreur and my fellows are in your hotel... Tell to my teachers there is no problem, I am now in the family of my...*[1] » (Je cherchai « cousin » dans le dictionnaire, ça se dit comme en français...)

Voilà, c'était parfait, enfin je ne pouvais pas faire mieux. Il ne me restait plus qu'à appeler.

Il y avait des téléphones sur tous les bureaux, et aussi des ordinateurs. Je ne savais pas comment il fallait faire pour composer un numéro à New York, mais ça ne devait pas être plus compliqué qu'ailleurs. Après deux essais ratés (j'avais fait un indicatif en trop), j'entendis la voix du réceptionniste.

« *Lexington Hotel, hold on !*[2] »

Je n'avais rien compris, sauf Lexington Hotel. Je commençai ma phrase, mais il n'y avait personne au bout du fil. On entendait une petite musique. J'attendis au moins une minute, qui me sembla très longue.

« Yes ?

— *I am...*

— Parlez français, mademoiselle. Je comprends très bien. »

Ah, c'était la première fois qu'on me disait que

1. « Bonjour, monsieur, je suis Français, je suis Pierre Lecouvreur et mes copains sont dans votre hôtel... Dites à mes professeurs qu'il n'y a pas de problème, je suis maintenant dans la famille de mon... »

2. « Ne quittez pas. »

j'avais une voix de fille ! Ça devait être le téléphone américain qui déformait ma voix.

« Je suis dans votre hôtel, le groupe scolaire...

— *Of course*[1], les jeunes Français, que puis-je faire pour vous, monsieur ? »

Ah, il avait tout de même réalisé qu'il avait affaire à un garçon...

« Je... eh bien, il faudrait prévenir mes professeurs pour qu'ils ne s'inquiètent pas. Je voudrais laisser un message pour M. Duffik... »

M. Duffik, c'est La Baleine, mais personne ne l'appelle jamais par son nom. Je préférais que ce soit lui qui ait le message, c'est tout de même le plus sympa des trois.

« Un message ? Pas de problème...

— Dites-lui que je suis dans la famille de mon cousin, que personne ne s'inquiète et que je rentrerai demain matin.

— Puis-je vous demander votre nom, monsieur ?

— Ah oui, je suis Pierre Lecouvreur.

— C'est O.K. ! *Mister* Lecouvreur, nous transmettrons votre message.

— *Thank you very much.* »

Ça, je savais tout de même le dire.

Demain, les profs allaient me poser des tas de questions sur ces cousins américains, mais j'avais tout le temps d'inventer des réponses. Pour commencer, s'ils

---

1. « Bien sûr. »

me demandaient leur numéro de téléphone pour vérifier, je dirai qu'ils étaient partis en week-end.

Voilà déjà une affaire de réglée. Avoir réussi à téléphoner et à faire passer mon message, tout seul dans cette grande ville inconnue, me remonta le moral. Je ne suis peut-être pas premier en anglais, mais je sais me débrouiller.

Je retirai mon blouson et ma casquette, les accrochai à une patère et allai m'installer dans un fauteuil en cuir monté sur des roulettes, posai les pieds sur le bureau comme le font souvent les patrons américains dans les films et m'efforçai d'examiner la situation. Pour commencer, mon estomac criait famine. Les autres devaient être en train de dîner. Les veinards ! Il ne me restait qu'un bout de gâteau au fond de mon sac. Je l'avalai en deux bouchées. J'avais encore plus faim après...

Peut-être que les employés de *Muffins Administra-*

tors laissaient traîner des gâteaux ou des pizzas dans leurs tiroirs. On ne sait jamais. Je me mis à fureter dans tous les bureaux. Cette perquisition en règle me rapporta deux carrés de chocolat, trois biscuits secs et un briquet Zipo que je décidai de garder en souvenir. C'était mieux que rien. J'inspectai attentivement les lieux. Dans le couloir menant aux toilettes, il y avait un distributeur de boissons. Heureusement je possédais un peu de monnaie américaine. Un demi-dollar le chocolat, je trouvai ça cher, mais je n'avais pas le choix. Pour me venger, je décidai de faucher d'autres choses dans les bureaux, par exemple des stylos. J'aurais bien piqué un ordinateur portable si j'en avais trouvé un. Je pourrais toujours dire aux profs que mes cousins me l'avaient offert, mais je risquais tout de même de me le faire saisir par les douaniers. De toute façon aucun portable ne traînait, les gens devaient les emporter chez eux. Il n'y avait que de gros ordinateurs de bureau...

Les ordinateurs, je ne vous l'ai pas encore dit, c'est ma passion. J'en ai deux chez moi. Un Macintosh d'occasion que m'a offert mon père pour mon anniversaire, et un P.C. que j'ai récupéré grâce à mon oncle qui travaille dans une banque où on donne les vieux modèles au personnel chaque fois qu'on renouvelle le matériel informatique. Le mien n'est d'ailleurs pas si pourri que ça, car la banque les change tous les trois ans. Il va très bien pour Internet mais il n'est pas terrible pour les jeux vidéo. Il faudrait ajouter une carte graphique qui coûterait plus cher que l'appareil...

Chez *Muffins Administrators,* tous les ordinateurs avaient l'air neuf. C'étaient des modèles puissants : des Pentium V. Comme je n'avais rien d'autre à faire et pas envie de dormir pour le moment, je décidai d'en allumer un.

5

Les profs reçoivent le message de Pierre

Nous en étions au dessert quand les profs ont eu le message de Pierre. Un garçon s'est approché de La Baleine et lui a tendu un morceau de papier.

« Message for you, sir. »

La Baleine l'a pris, l'a lu, a fait une drôle de tête, puis l'a relu avant de le passer à Fizard puis à Mme Lescure.

« Qu'est-ce que c'est que cette histoire ? C'est incroyable ! »

Nouveau conciliabule entre les trois profs, puis La Baleine s'est levé sans finir son gâteau et a foncé vers la réception de l'hôtel. Un quart d'heure plus tard, le prof d'anglais m'est tombé dessus alors que je regardais la télévision avec des copains dans un salon – c'était une sorte de feuilleton, genre Dallas, *je ne comprenais pas les dialogues mais j'arrivais à peu près à suivre l'histoire.*

« Lévine, viens, j'ai à te parler. »

Le ton était sec. La Baleine n'avait pas l'air content. Je le suivis sans discuter. Il m'entraîna dans un autre salon, vide.

« Dis-moi, Lévine, tu savais que Lecouvreur avait des cousins à New York ? »

La question, vous vous en doutez, me prit de court. À ce moment-là, j'ignorais que Pierre avait téléphoné à l'hôtel...

« Des cousins américains ? répétai-je bêtement, pour gagner du temps et essayer de comprendre la situation.

— Oui, je te demande si tu es au courant que Lecouvreur avait l'intention de passer la soirée chez ses cousins ? »

Cette fois La Baleine en avait trop dit. J'avais compris l'essentiel : Pierre s'était inventé des cousins de New York. Pourquoi se lançait-il dans une galère pareille ?

« Peut-être qu'il m'en a parlé dans l'avion... »

La Baleine me saisit par les épaules et planta son regard dans le mien.

« Mais pourquoi ne nous a-t-il pas avertis, bon sang ?

— Je ne sais pas, m'sieur. C'est à lui qu'il faut le demander.

— J'aimerais bien et, crois-moi, nous allons avoir une petite explication tous les deux. C'est un comportement invraisemblable, il se fout de nous !

— Je ne sais pas, m'sieur... »

La Baleine se mit à me secouer comme un prunier.

« "Je ne sais pas, m'sieur, peut-être, m'sieur..." Tu te fiches de moi toi aussi, Lévine ?

— Non, m'sieur.

— Allons donc, ne me dis pas que tu n'es pas dans le coup. Vous êtes toujours comme cul et chemise, Lecouvreur et toi. On ne vous voit jamais l'un sans l'autre.

— Je ne sais pas, m'sieur, je vous assure. Peut-être qu'il m'en a parlé et que je n'ai pas fait attention. Excusez-moi, je suis un peu fatigué, c'est le voyage... »

La Baleine se décida à me lâcher, il retira ses lunettes et les essuya avec sa cravate.

« Nous sommes tous fatigués, mon garçon. Mais te rends-tu compte de nos responsabilités ? Un élève disparaît comme ça, pff... *Et il nous laisse un message pour nous annoncer qu'il passe la soirée chez un cousin dont nous n'avons jamais entendu parler. Ou la nuit. Le standardiste n'est pas sûr d'avoir bien compris. Tu te conduirais comme ça, toi ?*

— Non, m'sieur, mais je ne suis pas Lecouvreur... »

La Baleine consentit à m'accorder un sourire.

« Bonne réponse... Mais tu le connais tout de même, qu'est-ce qui lui a pris ? Ça n'était pourtant pas difficile de nous avertir.

— Peut-être qu'il a eu l'idée au dernier moment et qu'il n'a pas osé demander, improvisai-je.

— Pas osé ? Et pourquoi donc ?

— Par peur de se faire... engueuler.

— Nous avons l'habitude de manger les gens quand

ils nous demandent quelque chose ? s'indigna La Baleine. Nous faisons régner la terreur dans cette classe ?

— Ce n'est pas ce que je voulais dire. Mais vous avez entendu la réflexion de Mme Lescure...

— Quelle réflexion de Mme Lescure ?

— Dans l'Empire State Building. Quand elle lui a répété devant tout le monde qu'il était nul...

— Alors, parce qu'on lui fait une petite réflexion, pour plaisanter, ce monsieur fiche le camp, la nuit, dans une ville étrangère dont il ne parle pas la langue. New York est tout de même une ville où il vaut mieux faire attention, surtout pour un garçon de son âge... »

Ça, les profs et mes parents me l'avaient répété mille fois. J'allais commencer à le savoir que New York était la ville de tous les dangers et qu'il fallait rester en groupe, ne pas s'éloigner, etc.

« D'abord, reprit La Baleine, comment s'est-il rendu chez ses cousins ?

— Pardon ?

— Il a pris le taxi, le métro ? Il y a été à pied ?

— Je n'en sais rien, m'sieur.

— Il ne t'a vraiment rien dit ? »

Le regard de La Baleine trahissait son inquiétude. Cela ne me laissait pas insensible, mais je ne pouvais pas trahir Pierre, sans même savoir pourquoi il ne rentrait pas et avait imaginé cette histoire de cousins...

« Non, bredouillai-je, mais peut-être que je n'ai pas fait attention.

— Bien, soupira La Baleine, nous allons voir avec Mme Lescure et M. Fizard ce que nous allons faire. Pour ma part, je suis partisan d'attendre un peu, pour éviter des problèmes supplémentaires. Mais s'il n'est pas rentré vers onze heures, nous serons obligés de prévenir la police et de téléphoner à ses parents. C'est que nous sommes responsables de lui ! »

Il secoua la tête d'un air désespéré.

« S'il ne rentre pas, c'est la catastrophe. »

6

Pierre se connecte à Internet

Dès que le moniteur du micro-ordinateur s'est illuminé, avec une multitude de petites icônes de toutes les couleurs, j'ai oublié où je me trouvais. Je vous l'ai dit, les ordinateurs, c'est ma passion. J'aurais aimé en avoir un comme ça à la maison ! Même celui de Mme Blémont, la documentaliste du C.D.I., n'est pas aussi puissant et c'est pourtant le plus moderne du lycée. Celui de *Muffins Administrators* était au moins deux fois plus rapide. Il suffisait de pointer la flèche sur une icône, et *clic,* le programme apparaissait instantanément, pas besoin d'attendre pendant cinq minutes avec le sablier qui clignote. C'est énervant d'attendre, ça gâche le plaisir.

Je commençai par tous les jeux que j'arrivais à trouver. Il y en avait des quantités. Le propriétaire du bureau où je m'étais installé devait passer son temps à jouer au lieu de travailler... Toutes les inscriptions étaient en anglais, mais j'arrivais quand même à me débrouiller. Dans un sens, les profs ont raison quand ils disent : « Quand on veut, on peut, c'est une question de volonté », mais je n'aurais jamais été le leur dire. Au bout d'un moment, j'en ai eu assez des jeux et je suis rentré dans tous les programmes. Il y avait des graphiques, des tableurs, des colonnes de chiffres, des signes incompréhensibles, ce n'était pas très amusant et je me suis lassé très vite. Et puis soudain, une fenêtre s'est mise à clignoter :

You've got a message.

Et en dessous :

Do you want to read your message ?[1]

Puis deux cases :

Now *Later*[2]

Je cliquai sur *Now.* L'ordinateur se mit à produire des petits *cric-cric* feutrés, puis une nouvelle fenêtre apparut. Il fallait un code pour lire le message. Je cliquai pour refermer la fenêtre. J'étais vaguement déçu. Non pas parce que je m'imaginais que ce message serait passionnant, mais parce que je n'aime pas qu'on m'empêche de faire ce que j'ai envie de faire. Ma mère me l'a toujours dit : je suis têtu.

Vous avez vu ce qui est arrivé parce que la mère Lescure m'a fait une réflexion devant tout le monde.

1. Voulez-vous lire votre message ?
2. Maintenant – Plus tard.

D'ailleurs, c'est sa faute si je suis enfermé ici. Si elle avait été un peu plus sympa, je serais au lit, comme les autres. Mais je n'avais pas envie de dormir, sans doute à cause du décalage horaire, et je continuais à manipuler l'ordinateur.

Parmi les icônes des programmes, il y avait un petit globe terrestre bleu et vert, avec une loupe. Ça, je savais ce que ça voulait dire : c'est le symbole d'Internet. Et, si l'ordinateur pouvait recevoir des messages, c'est qu'il était branché sur un modem, donc qu'on pouvait se connecter au réseau. Peut-être même qu'il l'était en permanence, y compris en veille quand il avait l'air éteint. Je ne vais pas vous donner les explications techniques, ça vous casserait les pieds et je ne les connais pas toutes moi-même. Ce qui m'intéresse, c'est de faire marcher les ordinateurs, pas la théorie. Internet, je suis habitué : je correspond par mail avec tous mes copains et Mme Blémond me laisse utiliser l'ordinateur du C.D.I.

Je clique donc sur Internet. Il y avait au moins trois logiciels différents. Je sélectionnai *Explorer* qui est un des plus faciles – c'est celui qu'on utilise sur le micro de Mme Blémond, et je me débrouille mieux qu'elle. Je me retrouvai donc sur mon terrain, sauf que, en effet, tout était en anglais. Mais là, il y a une ruse : les logiciels de navigation sur Internet les plus récents permettent de choisir sa langue. Évidemment, ça prend une place énorme sur le disque dur... Ah, pardonnez-moi, j'avais promis de ne pas vous ennuyer avec des explications techniques.

Je cliquai sur le petit drapeau bleu, blanc, rouge et l'ordinateur se mit à parler français. J'aurais aussi bien pu lui demander de parler danois ou espagnol, mais ça ne m'aurait pas mené à grand-chose. Je pouvais maintenant entrer en contact avec des ordinateurs de tous les pays du monde, envoyer des messages, en recevoir. Personne ne voudrait jamais me croire quand je raconterai que j'étais entré sur le réseau Internet, du haut de l'Empire State Building. Mais vous me direz que, du point de vue de la communication, ça ne changeait rien du tout que je sois au 99e étage, au rez-de-chaussée ou dans une cave...

C'était génial. J'avais noté les adresses e-mail du C.D.I. et de plusieurs copains sur mon carnet. Je décidai de leur envoyer un message :

« Salut à tous, je suis à New York, au 99e étage de l'Empire State Building. À plus.

Pierre. »

Pour changer, je cherchai de nouveaux jeux, il y en a des quantités sur Internet, et aussi des gens qui forment des clubs pour faire des concours à distance ou échanger des renseignements. J'en dégottai un absolument génial. Il fallait affronter des monstres dans des souterrains et éviter de tomber dans des pièges pour trouver un trésor et délivrer une princesse endormie. Il y avait des trappes, des passages secrets, des squelettes et des guerriers barbares bardés d'armures bizarres.

Je venais d'abattre coup sur coup deux géants casqués armés de haches quand une sonnerie se déclencha. Je crus que ça venait de l'ordinateur, puis je compris que c'était tout simplement le téléphone. Je ne décrochai pas. Je n'avais pas intérêt à signaler ma présence et, de toute façon, je n'aurais rien compris. Un répondeur se mit en marche. Une voix prononça quelques mots, en américain, il y eut un déclic, puis le silence revint.

Ce n'était qu'un appel téléphonique, pourtant il m'avait effrayé, comme si le correspondant inconnu m'avait surpris en train de jouer sur l'ordinateur. Je me calmai, essayai de me remettre au jeu, mais le cœur n'y était plus : je commis erreur sur erreur. Un monstre cornu me précipita dans un puits au fond duquel se dressaient de redoutables pointes de lances. Je parvins néanmoins à immobiliser mon personnage sur un rebord de pierre, à mi-chemin des lances. Je cherchai comment sortir de cette dangereuse situation quand une nouvelle fenêtre s'alluma sur l'écran, pour annoncer un message – comme s'ils ne pouvaient pas me laisser jouer tranquillement ! Je tentai de fermer la fenêtre mais elle refusa de disparaître et se mit à clignoter en émettant des *tiit-tiit.* Cette fois, j'étais dépassé : une fausse manœuvre avait planté le programme. La personne qui travaillait à cette place s'en apercevrait sans doute demain, mais ça n'avait pas grande importance...

Je coupai le courant de l'ordinateur en appuyant sur l'interrupteur, ce qu'il ne faut en principe jamais faire sans avoir quitté le programme, et décidai d'en essayer d'autres. J'en allumai deux l'un après l'autre, mais je n'y trouvai pas de jeux, et il n'était pas possible de les connecter à Internet. Je commençais à trouver le temps long. Je regardai ma montre : il n'était que neuf heures du soir, heure de New York. (Les profs nous avaient fait mettre nos montres à l'heure locale.) Je calculai que, si les premiers employés arrivaient à huit heures du matin, j'avais encore onze heures à passer ici, sans manger, et aussi sans dormir, sous peine d'être surpris. Je n'arriverais jamais à tenir le coup.

Quelle idée j'avais eue de me lancer dans cette aventure. Tout ça à cause de cette sale bonne femme de Lescure ! Celle-là, elle me le paierait. Je trouverai bien le moyen de me venger.

Je décidai d'explorer mon domaine de fond en comble, dans l'espoir de découvrir un moyen de sortir. Peut-être existait-il une sortie de secours ou une gaine d'aération par laquelle je pourrais m'échapper. Dans les films et les bandes dessinées, les personnages s'enfuient souvent par les gaines d'aération des immeubles. Ils se sauvent aussi par les fenêtres, en s'accrochant à des corniches ou à des balcons, ou encore en utilisant des cordes, mais ça, je n'avais aucune envie d'essayer. Rien que d'imaginer le vide en dessous de moi me donnait le vertige. Il fallait être Batman ou Superman pour réaliser de pareils exploits, et encore je savais très bien que les films étaient truqués et que les acteurs étaient doublés par des cascadeurs.

Mes recherches n'ont rien donné : il n'y avait pas d'autre issue. Quant aux gaines d'aération, je ne les trouvai pas, et même si j'en avais découvert une, je ne sais pas si j'aurais osé m'y aventurer. Elles devaient être toutes poussiéreuses et on risquait de mourir étouffé.

La fatigue me tomba dessus tout d'un coup. Mes yeux se fermaient irrésistiblement. Il fallait pourtant que je résiste, sinon j'allais bêtement me faire surprendre demain matin. Pourtant, c'était impossible : je savais que j'étais incapable de passer encore dix heures et demie sans sommeil.

J'étais perdu. Alors perdu pour perdu, pourquoi ne pas me rendre tout de suite aux agents de sécurité en appelant quelqu'un par téléphone ? Au moins, je dormirai dans un lit...

Il y avait une autre solution : m'allonger dans un canapé du salon et trouver le moyen de me réveiller demain de bonne heure. Si j'avais possédé une montre-réveil, comme celle de mon copain Hervé, il n'y aurait pas eu de problème, mais ce n'était pas le cas. Quant au réveil téléphonique, j'ignorais comment les Américains le faisaient fonctionner.

J'en étais là de mes réflexions quand le téléphone se remit justement à sonner. C'était insupportable. Ça me flanquait à chaque coup une trouille bleue. Je décidai de le débrancher pour ne plus entendre cette sonnerie. Je suivis les fils téléphoniques et constatai qu'il n'y avait pas de prise qu'on pouvait détacher comme chez nous. Le câble entrait seulement dans le mur. Il aurait fallu le couper et, ça, je ne pouvais tout de même pas le faire. Je décrochai donc tous les téléphones, sur chaque bureau, un par un.

Je me croyais tranquille quand une nouvelle sonnerie retentit, d'une tonalité différente. La panique s'empara de moi. J'avais peut-être déclenché une alarme. Cette sonnerie ne voulait pas s'arrêter, elle m'écorchait les oreilles, me crispait les nerfs, pourtant il me sembla que, tous comptes faits, elle ne ressemblait pas à une alarme. Je cherchai d'où elle venait et découvris un minuscule téléphone portable, dans un tiroir. Ignorant le maniement de l'appareil, j'appuyai au hasard sur plusieurs touches, jusqu'à ce que cette satanée sonnerie s'arrête. Ensuite, j'ouvris le compartiment qui contenait la batterie et la retirai.

Cette fausse alarme et toutes ces sonneries m'ont donné une idée : installer une alarme qui me réveillerait quand quelqu'un entrerait dans le bureau. Je réalisai bien vite que, non seulement je ne disposais pas du matériel nécessaire, mais que je ne possédais pas les compétences techniques indispensables... Un espion placé dans ma situation n'aurait eu aucun problème : les espions ont toujours plein de gadgets miniaturisés dans leurs poches. Mais un espion, il est vrai, serait venu à bout de la serrure électromagnétique de l'entrée sans la moindre difficulté, et il aurait aussi pu appeler son réseau à l'aide, par téléphone ou par un message sur Internet.

J'essayai de me souvenir de tous les téléfilms que j'avais vus et des ruses employées par les héros. Il y en avait une très simple, qui ne demandait aucune compétence technique. Le coup de la chaise ! Comment n'y avais-je pas pensé plus tôt ? Il suffit de placer une chaise en équilibre derrière la porte. Quand on ouvre la porte, la chaise tombe, et l'alerte est donnée...

Je pris une chaise en plastique et allai la placer contre la paroi de verre du salon d'accueil, à l'envers, en équilibre sur le dossier, pour être sûr qu'elle tombe. Au cours de ces manœuvres, j'ai fait tomber la chaise. Ça ne faisait pas assez de bruit pour me réveiller. La moquette amortissait le choc. J'étais découragé, il fallait imaginer un autre système... J'étais pourtant sur la bonne voie. Il existait certainement une solution. Quelques minutes de réflexion et j'ai trouvé : il suffisait de poser sur la chaise un objet qui, lui, ferait beaucoup de bruit en tombant, malgré la moquette !

L'idée était bonne, mais cet objet n'était pas si facile que ça à trouver. Les dossiers ne convenaient pas, les livres non plus et les ordinateurs pas davantage – ils étaient trop lourds et je ne pouvais pas prendre le risque d'en casser un, on le ferait payer à mes parents... Un vase de fleurs ferait l'affaire, à condition qu'il heurte quelque chose de dur... Je posai donc le vase sur la première chaise, puis allongeai une deuxième chaise sur la moquette, au pied de l'autre, pour être sûr que le vase tombe dessus. Je procédai à divers essais, prudemment, pour ne pas casser le vase à l'avance. Ces tests me semblèrent positifs. Bien sûr, l'employé qui déclencherait cette alarme se demanderait ce que tout ça faisait là, mais j'aurai peut-être le temps de me cacher et de me sauver avant qu'il ait compris ce qui lui arrivait...

Je m'apprêtais à aller dormir quand je découvris un autre objet auquel je n'avais pas fait attention : une grande patère en bois qui servait à accrocher les vêtements dans le salon. Elle ferait certainement un sacré boucan en tombant sur un bureau ou sur une chaise. Deux précautions valent mieux qu'une : je traînai la patère jusqu'à la porte et la plaçai elle aussi en équilibre à côté de la première chaise.

Cette fois, je pouvais dormir tranquille.

Je cachai mon blouson et mon sac derrière le canapé, puis m'allongeai, sans retirer mes chaussures, pour être prêt à partir très vite, dès que mon alarme se déclencherait. Toutes ces péripéties m'avaient épuisé. Je m'endormis immédiatement, mais toutes sortes de rêves et de cauchemars troublèrent mon sommeil. Il y en a certainement beaucoup que j'ai oubliés depuis. Je me souviens surtout que les monstres du jeu vidéo me poursuivaient dans les escaliers en brique de l'Empire State Building. J'arrivais de temps en temps à les faire disparaître en cliquant sur une télécommande, mais ils revenaient toujours au moment où je ne les attendais pas. Je croyais leur avoir enfin échappé, je reprenais mon souffle, et une monstrueuse silhouette apparaissait à l'extrémité du couloir ou en haut de l'escalier, elle se découpait dans le ciel de New York, au milieu des gratte-ciel, à la manière de King Kong. Ses griffes et ses crocs me menaçaient, sa hache se balançait au-dessus de ma tête.

Quelques-unes de ces horreurs avaient des visages connus : La Baleine, Fizard, la mère Lescure (la plus affreuse, avec des dents de vampire et une peau verte), mais il y en avait d'autres que je n'avais jamais vues. Je réussissais toujours à les désintégrer ou à les éviter au dernier moment, jusqu'à l'instant, terrifiant, où la main griffue d'un géant couvert d'écailles frôla ma gorge. J'étais coincé, le dos contre les baies vitrées du bureau de *Muffins Administrators Corps.* Il n'existait plus qu'un moyen de me sauver : sauter par la fenêtre de l'Empire State Building. Je pris mon élan et sautai sans la moindre hésitation. Les vitres se brisèrent dans un fracas épouvantable. Je ne ressentis pourtant aucune douleur. Je tombai en tournant au milieu des flocons de neige. Cette chute semblait interminable. Tout en dessous de moi, j'apercevais de petites voitures de police bleues, des taxis jaunes et des limousines noires, et aussi des piétons qui tendaient le doigt vers moi, comme si j'étais Batman, mais moi, je ne savais pas voler...

Je n'avais pas vraiment peur. Cette chute interminable me procurait une sorte de plaisir bizarre. Tout là-haut les monstres grimaçants se penchaient sur un balcon d'où ils observaient ma descente sans oser me suivre. Ils ne pouvaient plus m'atteindre. Dans le ciel, j'étais à l'abri de leurs sales pattes. Je leur jouai un dernier tour.

Au dernier moment, alors que j'allais m'écraser sur le sol, je cliquai sur ma télécommande et fis surgir un énorme matelas de mousse dans lequel je m'enfonçais confortablement. Bien joué, Pierre ! J'ouvris les yeux et constatai que j'étais tombé du canapé sur la moquette. Le vacarme qui m'avait réveillé avait été provoqué par la chute du vase de fleurs et de la patère.

Quelqu'un venait d'entrer dans le bureau !

7

Hervé part à la recherche de Pierre

« Lecouvreur joue au con, dit Victor. À cause de lui, les profs risquent d'annuler le voyage.

— C'est vrai, approuva Nicole Poron. Ton pote marche à côté de ses pompes. S'il voulait voir ses cousins américains, il n'avait qu'à prévenir. Il y a des choses qu'on fait et d'autres qu'on ne fait pas. »

Celle-là, il faut toujours qu'elle la ramène. Pourtant, je savais très bien qu'elle avait raison.

« Moi, je suis sûr qu'il a fait ça pour emmerder les profs et qu'il te l'a dit, insista Victor. Tout le monde sait que vous vous faites vos confidences. »

Nous étions tous les trois affalés dans les coussins d'un petit salon de l'hôtel, devant une télé qui diffusait une émission en chinois. Il y avait au moins vingt chaînes, avec plein de langues différentes, mais j'avais la tête ailleurs. Qu'est-ce qui avait bien pu arriver à Pierre ?

« Tu as entendu ce qu'ils ont dit : les profs vont prévenir la police et les parents si Lecouvreur n'est pas rentré à minuit. Si seulement ce crétin avait laissé le numéro de téléphone de ses cousins, les profs auraient pu les appeler. Et, si ça se trouve, ses cousins, ils n'ont pas le même nom que lui.

— Je sais, dis-je, ils ont cherché dans l'annuaire. »

La Baleine avait fini par trouver des Lecouvreur qui habitaient New York. Il avait eu un moment d'espoir quand il avait entendu une voix s'exprimer en français à l'autre bout du fil, mais il s'agissait d'une famille de Canadiens.

Toute la classe était maintenant au courant. Certains dormaient, sans s'inquiéter. D'autres avaient l'air de m'en vouloir, comme si j'étais responsable des conneries de Pierre !

Victor secoua la tête.

« Mon pote, je n'ai qu'un conseil à te donner, si tu sais quelque chose, tu ferais mieux de le dire aux profs, parce que sinon, ça va te retomber dessus, et sur toute la classe.

— D'un côté, je te comprends, tu ne veux pas le trahir, dit Nicole. Mais quand c'est aussi grave, ça n'est plus du mouchardage. »

C'était bien la question que je me posais depuis deux heures : devais-je rompre ma promesse, dans l'intérêt de toute la classe et de Pierre lui-même ? S'il avait pu assis-

ter à cette discussion, qu'est-ce qu'il en aurait pensé ? Une idée surtout m'effrayait : il s'était perdu dans New York, ou bien il avait eu un accident, une voiture l'avait renversé. Mais, s'il avait été blessé, on l'aurait conduit à l'hôpital et, comme il avait des papiers sur lui et la carte de l'hôtel, les médecins auraient appelé...

Victor bâilla.

« Bon, je crois que je vais aller me coucher. Tu montes, Lévine ? »

Je m'apprêtais à le suivre, mais Nicole me retint par la manche.

« Sois sympa, Hervé, dis-moi la vérité, juste à moi. »

Elle avait abandonné son air renfrogné pour me faire les yeux doux, style grande sœur. Je la croyais un peu hypocrite, mais cette séance de charme ne me laissait pas indifférent. Quand elle voulait bien se donner la peine de sourire et de ne pas râler, Nicole était très jolie, avec ses grands yeux noirs et ses mèches brunes frisées. Je me sentais fondre.

« Qu'est-ce qui me prouve que je peux te faire confiance ?

— Je te le jure ! dit-elle farouchement. Tu m'as déjà vu mentir ? »

C'était vrai, elle avait mauvais caractère et elle était peut-être parfois un peu faux jeton mais pas menteuse.

« Je suis témoin et je te le jure aussi », dit Victor, qui n'en avait pas perdu une miette et était revenu sur ses pas.

Pour être franc, ce secret était un peu lourd pour moi

et j'avais besoin de le confier à quelqu'un. Si j'avais eu le choix, ce n'est sans doute pas avec Nicole et Victor que je l'aurais partagé. Nous n'avions pas de mauvaises relations, mais nous n'étions pas amis non plus. Pourtant, si j'avais révélé ce que je savais à un gars comme Thierry Tabar, il se serait aussitôt jeté dans les jupes des profs pour leur raconter. Tandis que Nicole et Victor, ils étaient comme ils étaient, mais je les croyais capables de tenir leur langue.

« D'accord, dis-je, mais si jamais vous en parlez à quelqu'un d'autre, je me vengerai et je vous en voudrai toute ma vie !

— Tout de suite les grands mots. Ne t'excite pas comme ça. »

J'allai vérifier que personne ne nous écoutait, derrière la porte du salon, refermai soigneusement cette porte sans la claquer, puis revins m'asseoir. Nicole et Victor s'installèrent de chaque côté de moi.

« Voilà, Pierre m'a dit qu'il voulait monter en haut de l'Empire State Building, tout seul. Je ne sais rien d'autre. »

Cette révélation parut les décevoir.

« En haut de l'Empire State Building ? C'est tout ce que tu sais ?

— Absolument. Je vous le jure. Mais je ne sais pas s'il a essayé pour de bon. Il a pu changer d'idée.

— C'est vraiment une tête de con, Lecouvreur ! fit Victor. Il ne pouvait pas attendre d'y aller un autre jour avec tout le monde.

— Ne dis pas de mal de mon copain, protestai-je, sinon je ne vous raconte plus rien. La réflexion de Mme Lescure l'a vexé. Il faut vous mettre à sa place.

— Quelle réflexion ? »

Évidemment, eux, ils n'y avaient même pas fait attention.

« Donc, il n'est pas chez ses cousins, conclut Nicole, qui avait de la suite dans les idées. C'est une histoire qu'il a inventée.

— S'il n'est pas chez ses cousins, c'est qu'il est ailleurs. Il a bien téléphoné de quelque part, pour laisser son message aux profs...

— Il a pu téléphoner d'une cabine », dis-je.

Nicole se prit la tête entre les mains.

« Peut-être qu'il fait une fugue et qu'il a laissé ce message pour gagner du temps. Je connais une fille de ma cité qui a fait une fugue. Elle s'est cachée pendant deux jours pour emmerder ses parents, tout ça parce qu'ils lui avaient fait une réflexion sur sa façon de se maquiller.

— Tout de même, reprit Victor, faire une fugue à New York, il faut être sacrément gonflé. Surtout qu'il est nul en anglais. Et quand tu vois les films à la télé, ça ne te donne pas tellement envie de te promener tout seul la nuit par ici...

— Et avec ce froid ? » renchérit Nicole.

Il faisait si bon dans l'hôtel que j'avais oublié la tempête qui frappait New York. Le souvenir de notre retour sous les tourbillons de neige augmenta mon inquiétude.

Pierre était peut-être en train de mourir de froid dehors, et trop faible pour revenir jusqu'ici ou appeler à l'aide.

« Je crois qu'il faudrait faire quelque chose, dit Nicole. Tu ne veux vraiment pas qu'on prévienne les profs ?

— Ah non ! Vous me l'avez juré !

— D'accord, mais on ne peut tout de même pas rester comme ça...

— Et s'il avait perdu la mémoire ? suggéra Victor. Il paraît que ça arrive. Après un choc, tout d'un coup, on ne se souvient plus de rien, même pas de son nom. Il a pu se casser la gueule dans la rue et se cogner contre un trottoir. Moi, j'ai failli tomber deux fois, avec mes baskets pourries. »

Toutes ces suppositions étaient plus inquiétantes les unes que les autres. Sans compter que Pierre pouvait aussi avoir été attaqué, enlevé, blessé, assassiné. Je n'osais même pas y songer.

« Je vous propose une chose, dit Nicole. Puisque Hervé ne veut rien dire aux profs et que nous lui avons donné notre parole, nous allons essayer de le retrouver avant minuit, pour éviter les histoires. (Elle secoua la tête.) Mais si nous ne le trouvons pas, il faudra prévenir les profs. Qu'est-ce que vous en pensez ?

— Moi, je suis d'accord, dis-je avec enthousiasme.

— Ressortir par ce froid, soupira Victor.

— Oh, le pauvre chéri à sa maman, il va mettre sa casquette, son cache-nez et ses gants pour ne pas avoir d'engelures à ses petites mimines », se moqua Nicole.

Victor parut vexé. Il haussa les épaules.

« D'accord, on va le chercher. Mais tu peux te foutre de moi, je vais quand même changer de pompes d'abord et mettre un pull en plus. »

On s'est retrouvés dans le hall de l'hôtel dix minutes plus tard, équipés pour affronter le pôle Nord. Nicole s'était emmitouflée dans une grosse doudoune noire, Victor avait enfilé sa parka par-dessus son blouson et nous avions tous les trois mis nos capuchons. Nous devions avoir une drôle d'allure, mais personne ne fit attention à nous. L'arrivée d'un groupe d'Italiens accompagnés de leur guide accaparait le personnel de l'hôtel. Je ne connais pas un mot d'italien mais je compris qu'ils se plaignaient du froid et des conditions de leur voyage.

Après avoir franchi les portes à tambour, on a eu un moment d'hésitation. La tempête avait redoublé et, dès qu'on avait mis un pied dehors, toute la chaleur accumulée se dissipait d'un seul coup et on avait l'impression qu'on allait se transformer en bloc de glace.

« On va pas y aller à pied. Tu as des dollars pour payer le taxi ? fit Victor.

— J'en ai, dit Nicole.

— On fera les comptes ensuite », proposai-je.

Les cinq cents francs que m'avaient donnés mes parents pour rapporter des souvenirs risquaient de fondre très vite, mais le plus important était tout de même de retrouver Pierre.

« Qui parle le mieux anglais ? demanda Victor.

— Je me débrouille », dis-je.

Mes parents m'avaient envoyé faire un séjour dans

une famille anglaise l'été dernier et j'avais fait pas mal de progrès, surtout sur la prononciation.

« Alors tu parleras au chauffeur, décida Nicole. Discute le prix, sinon, ça va nous coûter un max. »

Nicole avait tendance à vouloir nous commander et ça ne me plaisait pas. Et discuter le prix avec un chauffeur new-yorkais, c'était plus facile à dire qu'à faire. J'aurais voulu l'y voir ! Pourtant je ne protestai pas. Le moment était mal choisi pour nous disputer.

On a marché jusqu'au coin de Madison Avenue sans apercevoir de taxi. Il n'y avait plus un chat dans la rue, sauf des sans-abri emmitouflés dans des couvertures et des cartons devant les entrées des magasins. Si Pierre se trouvait obligé de dormir ainsi dehors parce qu'il avait perdu la mémoire, ça devait être terrible. À cet instant-là, je ne pouvais évidemment pas imaginer que ce crétin était en train de jouer à des jeux vidéo sur un ordinateur, bien au chaud, alors qu'on grelottait en pleine tempête.

Deux taxis passèrent sans s'arrêter.

« Je crois que c'est comme chez nous, dit Nicole. Quand il n'y a pas de lumière, c'est qu'ils ne sont pas en service. »

Enfin une grosse voiture jaune avec des pare-chocs renforcés s'est arrêtée de l'autre côté de l'avenue. Deux femmes en manteaux et toques de fourrure en sont descendues. On s'est précipités. J'avais préparé ma phrase, sans évoquer la question du tarif.

« We are going to Empire State Building, please !

— It's O.K., let's go ![1] »

Le chauffeur était un Noir en blouson de cuir. Une grille nous séparait de lui. Ça faisait un drôle d'effet.

« Tu as vu ? Il y a un compteur, me glissa Victor. Fais attention que ça soit le même prix. »

Le chauffeur éclata de rire.

« Bien sûr qu'il y a un compteur. Rassurez-vous, jeunes gens, je ne vais pas vous voler ! »

C'était un immigré haïtien, il parlait français aussi bien que nous, et même plutôt mieux car il avait étudié à l'université mais n'avait pas trouvé d'autre job.

« Pardonnez-moi ma curiosité, mais qu'allez-vous donc faire à l'Empire State Building à une heure pareille ?

— Pourquoi, c'est fermé ?

— Je crois que ça reste ouvert jusqu'à minuit, mais il n'y a plus rien à voir à cette heure-ci. Enfin, c'est votre affaire... »

On s'est regardés. Il avait l'air sympa, ce n'était pas un flic, pourquoi ne pas lui dire la vérité ?

« Nous allons chercher un de nos copains qui s'est perdu.

— Comment a-t-il fait son compte ?

— Nous sommes une classe de cinquième en voyage scolaire. Il a voulu monter tout seul en haut du gratte-ciel. »

Le chauffeur a paru perplexe.

---

1. « Nous allons à l'Empire State Building, s'il vous plaît.
— C'est d'accord, on y va ! »

« Et votre copain s'est perdu dans le building ? Vous en êtes sûrs ?

— On n'en est pas vraiment sûrs, mais il faut absolument qu'on le retrouve. Sinon, nos professeurs vont être obligés de prévenir la police et le voyage va être fichu.

— Et vous ne pensez pas que ça serait plutôt à vos professeurs de venir le chercher ?

— Ils ne sont pas au courant, c'est une histoire compliquée, avouai-je.

— Ça m'en a l'air, dit le chauffeur. Je vous souhaite bonne chance, jeunes gens. »

Nous étions déjà arrivés. En voiture, le trajet ne prenait que quelques minutes. Le chauffeur nous prit trois dollars cinquante, refusa le pourboire et nous tendit sa carte.

« Si vous avez encore besoin d'un taxi, vous pouvez me téléphoner. »

On s'est retrouvés sur le trottoir gelé. Les femmes avec leurs pancartes sur le ventre étaient toujours en train de tourner devant le building. Elles devaient crever de froid. Le chauffeur de taxi fit un signe à l'une d'elles qui lui apporta un tract, puis il descendit de sa voiture et se mit à discuter avec elle.

« Et maintenant, qu'est-ce qu'on fait ? »

Instinctivement et d'un mouvement unique on a levé le nez tous les trois pour contempler la façade du gigantesque building. Dans la nuit, je lui trouvai une allure inquiétante. Quelques rares fenêtres étaient éclairées.

Des bas-reliefs que je n'avais pas remarqués la première fois représentaient des profils d'aigles aux becs acérés. Cette tour me faisait penser à une sorte de donjon plein de secrets mystérieux. Je frissonnai, autant de peur que de froid.

« On entre et on cherche à l'intérieur. On demande à des gens s'ils ont vu Lecouvreur. Que voulez-vous qu'on fasse d'autre ? On va pas rester à se geler sur le trottoir », dit Nicole.

De nous trois, c'était sans doute elle qui avait le plus d'esprit de décision, je dois le reconnaître, mais sans vouloir me répéter, ça ne me plaisait pas qu'elle nous commande. Mes parents disent toujours qu'au même âge, les filles sont plus mûres que les garçons. Quant à Victor, malgré sa grande taille et ses biceps, c'était sûrement le plus gamin...

« Et si c'est fermé tout de même ? »

Ça n'était pas fermé, mais le hall était complètement vide. Il me parut immense, alors que l'après-midi je ne l'avais pas trouvé si grand que ça. Au fond, sur tout un mur, il y avait une carte en relief avec le gratte-ciel planté dessus. La plupart des vitrines étaient plongées dans l'obscurité, mais les agents de sécurité restaient fidèles au poste devant les ascenseurs.

On venait à peine de franchir la porte qu'une énorme voiture noire hérissée d'antennes est venue se ranger derrière le taxi. Des rideaux dissimulaient les passagers. Intrigué, je l'observai au travers des panneaux de verre. Deux hommes en complet-veston sont descendus, un petit maigre et un gros. Ils avaient l'air pressés. Dans cette tenue, ils n'avaient pas intérêt à traîner dehors ! Ils passèrent sous notre nez sans nous accorder un regard. À l'instant où le moustachu se trouva à ma hauteur, sa veste s'ouvrit, laissant apparaître un étui en cuir et une crosse sombre qui tranchaient sur sa chemise blanche. Ils s'éloignèrent à grands pas et se dirigèrent vers la batterie d'ascenseurs.

Nicole était toute pâle. Elle aussi avait vu l'arme.

« Ils avaient l'air de gangsters, dit-elle.

— Ce sont peut-être des flics.

— Pas avec une voiture comme celle-là. »

La limousine noire était toujours garée devant l'entrée. Le chauffeur était resté au volant. Nous ne pouvions distinguer que sa silhouette.

« Tu t'y connais en voitures de flics ? protesta Victor. Ils en ont de toutes les sortes, des bagnoles, surtout en Amérique.

— Alors, si ce sont des flics, ils sont peut-être venus chercher Pierre.

— Pour l'arrêter ? Tu crois qu'ils ont besoin de flingues pour coincer un garçon de treize ans ?

— Ils ont toujours leurs armes sur eux, c'est le règlement. Ça ne veut pas dire qu'ils en ont besoin pour l'arrêter. Peut-être qu'il a eu un accident et qu'on les a alertés... »

Nicole nous considéra l'un après l'autre en secouant la tête, comme si elle avait affaire à des demeurés.

« Vous racontez n'importe quoi. Ces types-là n'ont

probablement rien à voir avec Lecouvreur. Ce sont peut-être des agents de sécurité en civil, des détectives qui ont leur bureau dans les étages, ou encore des gardes du corps d'une personnalité importante. Il peut y avoir des centaines d'explications. C'est complètement débile de vous casser la tête. »

Il y avait peut-être des centaines d'explications possibles, mais moi, j'avais tout de même un sale pressentiment.

8

Deux hommes armés !

J'avais beau être à moitié réveillé, j'ai tout de même eu le réflexe de me jeter derrière le canapé. Il était temps ! Quelqu'un entrait dans le salon. Il avait tout fait tomber : le vase, la patère et la chaise. Il devait se demander ce qui lui arrivait...

La seule solution était de filer, très vite, dès que l'inconnu se serait éloigné de la porte. Allongé à plat ventre, je m'efforçai de surveiller ses mouvements, sans me faire voir, en avançant prudemment la tête sur le côté du canapé. Il faisait encore très sombre, je ne distinguai qu'une silhouette. Toutes les lumières s'allumèrent d'un seul coup. Ce flot de néon m'aveugla pendant quelques secondes, puis je constatai qu'il y avait deux personnes ! J'aurais dû m'en douter : les employés arrivent souvent tous ensemble à la même heure. Ça n'allait pas faciliter une fuite discrète ! Ceux-là commençaient drôlement tôt car, d'après ce que je pouvais voir, il faisait encore nuit. Je consultai ma montre et crut d'abord qu'elle s'était arrêtée : vingt-deux heures trente ! Je n'avais dormi qu'une heure et j'avais eu le temps de faire tous ces cauchemars !

Qu'est-ce que ces deux hommes venaient faire ici à une heure pareille ? Avec leurs costumes et leurs cravates, ce n'étaient certainement pas des employés du service d'entretien et ils n'avaient ni seau, ni balai, ni aspirateur...

J'avançai encore un peu la tête pour mieux les voir. Mon sang ne fit qu'un tour : ils avaient à la main d'énormes revolvers à barillet ! Du coup je me demandai si j'étais bien réveillé et si je n'étais pas encore en train de rêver. Pour m'en assurer, je me pinçai la joue. Pas de doute, ce n'était pas un nouveau cauchemar : ces deux hommes armés étaient bien vivants. Ils parlaient à mi-voix entre eux, en américain. Ils paraissaient méfiants. Des cambrioleurs ? Ils allaient être déçus car il n'y avait vraiment rien à voler ici à part les ordinateurs...

Une autre idée me vint : j'avais sans le savoir déclenché un système de sécurité et c'étaient des policiers en civil. Quoi qu'il en soit, je n'avais pas intérêt à traîner ! Je pris mon sac par la bride et me préparai à bondir dès que le passage serait libre.

Ils échangèrent encore quelques mots, puis l'un des hommes se dirigea vers les bureaux. Il passa devant le canapé sans me voir et disparut. Mais l'autre restait devant la porte ! Il montait la garde avec son arme. Tactique classique : on voit ça aussi dans tous les films. En général, le héros désarme celui qui s'est avancé tout seul, l'oblige à appeler l'autre, puis les assomme ou les descend tous les deux. Mais je ne me voyais pas du tout en train de m'attaquer à des types de ce genre. J'étais coincé. Quand ils constateraient que les bureaux étaient vides, ils se mettraient sans doute à fouiller partout. Ou alors ils penseraient que ceux qu'ils cherchaient étaient déjà partis. C'était ma seule chance.

J'observai celui qui surveillait la porte. Il était assez vieux. Au moins aussi vieux que La Baleine, je dirais dans les trente-cinq ans. C'était un petit maigre avec une fine moustache. Je n'arrivais pas à deviner si c'était un flic ou un gangster. En tout cas, son costume ne ressemblait pas à ceux des gangsters qu'on voit dans les films. Ce n'était ni un de ces costumes voyants à rayures jaunes ni un costume noir de croque-mort comme ceux des tueurs de la Mafia. C'était un costume ordinaire. Mon oncle, qui est employé dans une compagnie d'assurances, en met un de ce genre-là pour aller à son bureau.

Mais ça ne veut rien dire, il y a sûrement des gangsters qui s'habillent comme tout le monde. Ou alors c'est mon oncle qui a le genre gangster, ou flic, allez savoir !

Moustache fit quelques pas, en long et en large, puis il dut en avoir assez de rester debout et il vint s'asseoir...

sur mon canapé ! Juste avant qu'il s'y installe, ses chaussures passèrent à la hauteur de mon nez, que je reculai précipitamment. Alors ça, oui, c'étaient bien des godasses de gangsters. Et des santiags en lézard à talonnettes, ça ne va pas du tout avec un costume...

Il changea plusieurs fois de position sur le canapé. À un moment, il plaça ses deux bras derrière sa nuque : je les voyais juste au-dessus de moi. Ça aurait été facile de l'assommer avec quelque chose de lourd, mais d'une part je n'avais rien de lourd sous la main ; d'autre part, si c'était un flic et non un gangster, ça risquait de me coûter très cher. Moustache se mit encore à bouger. Il laissa pendre son bras gauche sur l'accoudoir du canapé. Son revolver se balançait sous mon nez, il avait passé son doigt dans le pontet et le faisait tourner – tiens, il était gaucher ! J'aurais pu facilement le lui arracher, ou le faire tomber, peut-être même lui casser le doigt. Dans un rêve, c'est ce que j'aurais fait sans hésiter, mais je n'étais pas prêt à prendre le risque pour de bon.

« *Nobody ! Shit ! Fucking computer !*[1] »

Je sursautai. L'autre revenait en poussant des jurons, je ne l'avais pas entendu arriver. Il n'avait pas l'air content. Celui-là, c'était un gros chauve, rougeaud, avec une veste verte, une cravate rouge et jaune et une chemise à rayures bleues. Il avait l'air de sortir d'une superproduction en couleurs, alors que Moustache avait plutôt le genre des vieux films en noir et blanc. Il rangea

---

1. « Personne. Merde ! Saloperie d'ordinateur ! »

son revolver dans un étui accroché sous son bras et se laissa tomber dans un fauteuil, juste en face du canapé derrière lequel je me cachais. De cette place, il risquait vraiment de me voir. Je ne pouvais plus continuer à regarder et je ne savais plus ce qu'ils faisaient, c'était encore plus effrayant. J'entendais seulement le canapé grincer quand Moustache gesticulait – c'était un type qui ne tenait pas en place, il devait être très nerveux.

Un déclic retentit, puis une série de petits bruits. Je compris que l'un des deux hommes composait un numéro, sans doute sur un téléphone portable, car il n'y en avait pas dans le salon. Une voix me confirma que je ne m'étais pas trompé. C'était le rougeaud qui parlait. Peut-être qu'il faisait un rapport à son chef pour lui dire qu'il n'avait rien trouvé et qu'ils allaient repartir.

« *Let's go !* »

Moustache se leva, et il me sembla que l'autre se levait aussi. Je les entendis marcher, mais j'attendis quelques secondes avant d'oser recommencer à regarder. Ils examinaient la porte en verre de l'entrée, pour voir si elle n'avait pas été forcée. Ils utilisaient une carte magnétique et un petit appareil noir, une sorte de télécommande.

Moustache ouvrit la porte. Mon cœur se remit à battre très fort. S'ils partaient maintenant, j'avais une petite chance de m'en tirer, même si je devais encore attendre jusqu'au lendemain. L'idéal aurait été qu'ils oublient de refermer la porte derrière eux, mais je ne me faisais aucune illusion : flics ou gangsters, c'étaient sûrement des professionnels ! Et les pros ne commettent pas ce genre d'erreur. Ce n'est pas comme la femme blonde qui avait tout laissé ouvert derrière elle pendant vingt minutes...

Ils ne se décidaient pas à s'en aller. Cravate-Rouge montrait à Moustache le vase, la chaise et la patère renversés. Et soudain, Moustache poussa un cri et se précipita vers moi. Je me recroquevillai derrière le canapé, mais c'était trop tard. Il m'avait vu.

« *Get out !*[1] »

J'étais perdu.

1. « Sors de là ! »

9

Poursuite en voiture

« Et maintenant, qu'est-ce qu'on fait ?

— Il faut chercher Pierre !

— Dans tous les étages. C'est impossible ! s'écria Victor.

— Mais non, dit Nicole. En haut. Puisqu'il voulait monter en haut, c'est là qu'il faut le chercher. Et demander aux gens s'ils l'ont vu... »

Aux gens ! Nous éclatâmes de rire tous les trois. Même Nicole se rendait compte qu'elle avait dit une bêtise. Il suffisait de regarder autour de nous pour constater qu'il n'y avait personne. À part les vigiles, l'Empire State Building était vide... Vous pensez sans doute que nous aurions pu nous en douter avant de venir, mais nous étions partis sur une impulsion. Il fallait bien faire quelque chose.

« D'abord pourquoi il serait resté là-haut ?

— Peut-être qu'il s'est endormi dans un fauteuil, dit Nicole. C'est arrivé à ma sœur : elle s'est endormie au cinéma. Et une autre fois dans une bibliothèque. On peut demander aux gardiens. »

Les agents de sécurité avaient des allures impressionnantes. Le plus petit était de la taille de Victor, mais deux fois plus large et plus épais, quant à son collègue il faisait au moins deux mètres.

Victor me poussa en avant.

« Pose la question, Hervé, puisque c'est toi qui parles le mieux américain. »

Encore moi ! L'un des vigiles, le grand, se pencha vers moi en souriant pour m'encourager. Je me lançai. Il parut surpris et me fit répéter ma question. Il m'écouta à nouveau attentivement puis secoua la tête.

« Nobody. It's close. Only office.[1] »

« Demande-lui s'il peut nous laisser monter, suggéra Nicole.

— Sorry, miss, it's close », *répéta l'armoire à glace, toujours souriant.*

Je lui demandai, toujours en anglais, s'il pouvait monter avec nous, pour chercher notre ami. Il me répondit que le règlement lui interdisait de quitter son poste, mais qu'il pouvait appeler un responsable de la sécurité. On n'y tenait pas du tout. Ce responsable risquait de se

---

1. « Personne. C'est fermé. Seulement des bureaux. »

montrer trop curieux. On a remercié le vigile et on est retournés dans le hall.

« Nous voilà bien avancés ! constata Victor.

— Au moins, on aura essayé. »

Par acquit de conscience, on a décidé d'explorer le rez-de-chaussée, mais les galeries étaient fermées. Il n'y avait aucun endroit où Pierre aurait pu se cacher. Je me sentais découragé. On allait repartir quand Nicole a pointé le doigt vers l'autre bout du hall.

« Il est là ! »

Pierre sortait d'un ascenseur, encadré par les deux hommes que nous avions vus descendre de la longue limousine noire.

« Pierre ! » criai-je.

Il se retourna. Les deux hommes le traînaient vers la sortie. Ils pressèrent le pas et l'entraînèrent. On s'est précipités et on est tombés sur un vigile.

« Il faut les arrêter, ils emmènent notre copain ! »

J'avais parlé en français, il ne comprenait pas. J'essayai de répéter ma phrase en anglais. Je m'embrouillai. Le vigile secouait la tête d'un air désolé. On perdait un temps précieux.

« Ça ne sert à rien, dit Victor. Il n'a pas le droit de quitter son poste. Il te l'a dit.

— Alors il faut qu'il avertisse la police, ou ses chefs ! » s'énerva Nicole.

Je m'efforçai laborieusement de traduire. Ça donna quelque chose comme :

« Warn your chief, sir, please ! They have kidnapped our fellow ! »[1]

La Baleine aurait certainement trouvé des fautes, mais le vigile eut tout de même l'air de comprendre, il se mit à rire bêtement.

« Kidnapped ? That's a trick ![2] »

Si, en plus, il fallait passer un quart d'heure pour le convaincre !

« On laisse tomber ! décida Nicole. Venez ! »

Elle se mit à courir vers la sortie du hall et nous derrière elle. Mais, une fois dehors : trop tard ! La voiture noire s'éloignait déjà dans la Cinquième avenue.

« On n'a même pas relevé le numéro », constata Victor.

J'inspectai les environs. Le chauffeur de taxi haïtien était toujours en train de discuter avec les Portoricaines. Je me précipitai vers lui.

« Vite, monsieur, il faut nous aider. Deux types viennent d'enlever notre copain. Ils sont partis dans cette voiture. Je vous en supplie, suivez-la !

— La Buick noire ?

— Je ne sais pas si c'est une Buick, mais elle était garée juste derrière vous. Vous ne les avez pas vus monter avec notre copain...

— Je n'ai pas fait attention. »

Il se tourna vers les Portoricaines.

---

1. « Prévenez votre chef, monsieur, s'il vous plaît ! Ils ont kidnappé notre copain ! »
2. « Kidnappé ? C'est une blague ! »

« Han visto un nino con los hombres ?[1]

— Si, un muchacho[2] ! *répondirent-elles en chœur.*

— *Vous voyez, il faut se dépêcher !*

— *C'est que je ne suis pas policier, moi...*

— *Vite, ils vont disparaître et on n'aura plus aucune chance de les rattraper.* »

Il se mit à bougonner mais finit par céder. Il me fit monter devant, à côté de lui.

Heureusement la Buick ne roulait pas très vite, sans doute à cause de la chaussée qui était complètement gelée. On l'a rattrapée au feu rouge de la 42e rue. Impossible de lire le numéro d'immatriculation : la plaque était couverte de neige.

1. « Vous avez vu un enfant avec les hommes ? »
2. « Oui, un jeune garçon. »

« Vous vous rendez compte de ce que vous me demandez, dit le chauffeur ? Moi, ici, je ne suis pas dans mon pays et la police n'aime pas beaucoup les Haïtiens. Alors, s'il arrive une histoire, ils vont me retirer ma licence. D'abord qui sont ces types qui ont emmené votre copain ?

— Justement, on n'en sait rien.

— Ça ne pourrait pas être des policiers, ou des agents de sécurité ? demanda Nicole.

— Je ne crois pas. Ça n'a pas l'air d'une voiture de police. »

Je me retournai vers Victor.

« Tu vois que j'avais raison !

— Je n'ai pas dit que c'est une voiture de flic, j'ai seulement dit qu'ils avaient plein de voitures différentes.

— Vous croyez vraiment que c'est le moment de vous disputer ! » rouspéta Nicole.

Le feu venait de passer au vert. La Buick repartait.

« Qu'est-ce que vous avez l'intention de faire ? demanda le Haïtien. Ne comptez pas sur moi pour m'attaquer à ces types-là. J'aurais tous les ennuis du monde. Je me ferais expulser des États-Unis. Ce sont peut-être des gens importants avec une voiture pareille.

— Ça serait trop dangereux. Ils sont armés. Nous avons vu leurs revolvers.

— Et, en plus, ils ont des flingues ! Me voilà tout seul, pauvre pomme, avec trois gamins à la poursuite

d'hommes armés ! gémit le chauffeur. J'ai vraiment tiré le gros lot ce soir. Qu'allons-nous faire ?

— Juste les filer pour savoir où ils emmènent notre copain. »

Devant nous, on apercevait toujours les feux rouges de la Buick. Elle continuait à suivre la Cinquième avenue. On roulait entre de grands immeubles en pierre de taille et les grilles d'un parc.

« C'est Central Park, dit Nicole.

— Oui, c'est Central Park, confirma le chauffeur, mais j'espère qu'ils ne vont pas à l'autre bout de l'État !

— Nous nous cotiserons pour vous payer, promit Victor qui semblait sensible à la détresse du chauffeur.

— Mais vous ne pourrez pas vous cotiser pour me sortir d'affaire si on me retire ma licence. Non, mes amis, il faut prévenir vos professeurs et la police. »

C'était la catastrophe, mais au point où on en était il n'y avait sans doute pas grand-chose d'autre à faire.

« D'accord, dit Nicole, il faut les prévenir. Vous avez un téléphone dans votre voiture ?

— Juste une radio pour communiquer avec la centrale qui nous envoie des clients. Je peux leur demander d'appeler la police, mais ils risquent de me prendre pour un cinglé ! »

Il pianota sur son appareil. Des voix se mirent à grésiller.

« Hé là ! »

La Buick venait de tourner sur sa gauche et d'entrer dans le parc. Notre chauffeur, qui ne s'y attendait pas, donna un coup de volant un peu brusque. Le taxi se mit à déraper sur la chaussée glacée. Je poussai un cri : un minibus arrivait en sens inverse ! Je me recroquevillai et protégeai mon visage avec mes mains. Le minibus nous évita à la dernière seconde. Son conducteur protesta par de furieux coups de klaxon, puis le calme revint.

L'allée qui traversait le parc était mal éclairée. Les feux de la Buick brillaient assez loin devant nous. Elle avait pris de l'avance.

« J'ai peur qu'ils nous repèrent, dit le chauffeur. Par ici, c'est complètement désert. Peut-être même qu'ils nous tendent un piège. Je préfère ne pas trop me rapprocher d'eux. Central Park, la nuit, c'est un endroit où l'on peut se faire assassiner facilement sans témoin... »

Cette menace me fit frissonner. Autour de nous, s'élevaient de grands arbres et de petites collines couvertes de neige. Pas un chat en effet. On se serait crus en rase campagne, alors que nous étions au milieu d'une des plus grandes villes du monde. Nicole et Victor non plus n'en menaient pas très large.

Un peu plus loin, s'étendait un lac gelé.

« Vous les avez eus, la police ? demanda Nicole, d'une voix qui trahissait son inquiétude.

— Non, pas moyen, la ligne est occupée et cette fichue radio marche très mal.

— C'est bien notre chance.

— Qu'est-ce qu'il a donc fait, votre copain, pour que ces types l'enlèvent ?

— On n'en sait rien. On vous le jure ! »

Le chauffeur n'avait pas l'air convaincu.

« On n'enlève pas un gamin sans raison. Sa famille est riche ?

— Pas du tout, dis-je. Son père est au chômage.

— Alors je ne comprends vraiment pas... »

La sortie du parc apparut enfin. Ça me rassura un peu de voir des immeubles et des lumières. La Buick tourna à droite, suivit une large avenue sur quelques centaines de mètres, puis bifurqua sur sa gauche pour s'enfoncer dans une rue bordée de petits immeubles en brique avec des échelles métalliques extérieures. Ce quartier était presque aussi désert que le parc et je redoutai à nouveau qu'ils nous tendent un piège. Je crus que c'était arrivé lorsque la Buick freina brusquement devant nous.

L'Haïtien donna un coup de frein lui aussi, avec un temps de retard. Pour un chauffeur professionnel, je trouvai qu'il ne conduisait pas très bien et qu'il n'avait pas de bons réflexes. Il ne devait pas faire le taxi depuis très longtemps...

La portière de la Buick s'ouvrit. Un homme descendit. Je crois que c'était le moustachu. Heureusement il ne se dirigea pas vers nous mais alla déplacer une poubelle qui bloquait le passage. On avait eu peur ! N'empêche que cet incident risquait de nous avoir fait repérer. On les suivait tout de même depuis un bout de temps...

La rue a débouché dans une grande avenue où il y avait beaucoup de circulation. On a bientôt été bloqués dans un embouteillage. Le quartier avait complètement changé. De tous les côtés scintillaient d'immenses panneaux publicitaires en néons multicolores. En face de nous, au-dessus de la marée des voitures immobilisées, se dressait une gigantesque bouteille de Coca-Cola de la taille d'un immeuble. Ce spectacle fascinant me fit oublier la poursuite pendant quelques secondes.

« Où sommes-nous ? demanda Nicole qui, elle aussi, ouvrait de grands yeux.

— Broadway, dit le chauffeur. Où vont-ils nous emmener comme ça ? »

Cette animation ne l'impressionnait pas. Il connaissait sans doute New York comme sa poche.

Dehors, il devait faire un froid terrible : des stalactites s'étaient formées sur les voitures !

Dans cette cohue, on risquait moins de se faire repérer. Il y avait beaucoup de taxis et, comme tous étaient de couleur jaune, ça ne devait pas être facile de les distinguer les uns des autres...

« Les flics ! » dit Victor.

Deux flics en veste de cuir et casquette étaient accoudés à une voiture bleue, le long du trottoir. Ils discutaient avec deux femmes en manteau de fourrure.

« Ceux-là ont l'air occupé, dit le chauffeur. Ils vont m'envoyer promener. Je ne sais pas comment sont les flics chez vous, mais, à New York City, ils ne sont pas toujours commodes. Surtout avec des étrangers comme moi.

— Vous ne voulez pas essayer quand même ? »

Trop tard, la file repartait. Impossible de se rapprocher du trottoir dans ces conditions. Pour aller trouver les policiers, le chauffeur aurait dû s'arrêter et abandonner sa voiture.

Nicole baissa la vitre. Un vent glacé entra dans la voiture. Elle se mit à crier et fit un geste en direction des flics. L'un d'eux se retourna, adressa un grand sourire à Nicole et fit le V de la victoire avec deux doigts au-dessus de sa casquette. Il avait tout compris de travers ! Elle recommença à gesticuler, mais il ne faisait plus attention à elle. C'était raté.

Le feu droit de la Buick se mit à clignoter. Le conducteur de la grosse voiture voulait changer de file, mais les autres, derrière lui, faisaient tout ce qu'ils pouvaient pour l'en empêcher. Exactement comme chez nous quand les automobilistes, énervés par les embouteillages, s'en prennent les uns aux autres. Les Américains n'étaient pas aussi « cool » *que je le pensais.*

« Qu'est-ce qu'il fabrique ? s'inquiéta Nicole.

— On dirait qu'il veut se garer. Ils sont peut-être arrivés... »

Après diverses manœuvres et coups de klaxon, la Buick s'inséra dans la file de droite, ralentit et s'immobilisa le long du trottoir. La portière s'ouvrit et quelqu'un descendit. Encore le moustachu. Il releva le col de sa veste et se mit à courir, plié en deux pour donner moins de prise au vent, en direction d'un drugstore. Il glissa, faillit tomber et se rattrapa in extremis à un poteau. Je ne pus m'empêcher de rire.

« Si on en profitait pour alerter les flics ?

— Ils risquent de repartir tout de suite. »

Le moustachu avait disparu dans le magasin. Pour le moment, notre file n'avançait plus. Nous n'étions qu'à quelques mètres de la voiture noire. Ça me faisait un drôle d'effet de penser que Pierre était là, tout près, sans doute prisonnier de ces types...

Et tout d'un coup, la portière s'ouvrit à nouveau. Je vis bondir une silhouette.

« C'est lui ! Pierre ! »

Je lui adressai de grands gestes au travers de la vitre et je crois bien qu'il m'aperçut, car il se mit à courir dans notre direction. Lui aussi glissa et faillit s'étaler au milieu des voitures qui klaxonnaient. Je me précipitai dehors, si excité que, cette fois, je ne sentis même pas la morsure du froid.

Il n'y avait qu'une seule file de voitures entre nous, mais, à l'instant où on allait se rejoindre une énorme jeep Cherokee me barra le passage. Elle était si haute qu'elle me cachait Pierre et la Buick noire. J'ai contourné la jeep par l'arrière pour ne pas me faire écraser. Le conducteur de la voiture qui lui collait au train m'a fait un geste obscène, au travers de son pare-brise. Le pauvre crétin ! Qu'est-ce que ça pouvait bien lui faire de perdre trois mètres dans cet embouteillage ?

Après avoir fait le tour de la Cherokee, j'ai aperçu le moustachu qui sortait du drugstore, un sac en papier à la main.

« Attention ! » criai-je à Pierre.

Il se retourna, hésita.

Un autre homme venait de bondir hors de la Buick. Il fonçait sur mon copain avec un air mauvais. Ils allaient le prendre en tenaille et le coincer ! Le sol glacé lui joua le même tour qu'aux autres. Il dérapa, perdit l'équilibre, tomba à la renverse et se retrouva le cul par terre au milieu des voitures. Pierre repartit en sens inverse, pour échapper au moustachu, dépassa l'autre qui se relevait péniblement et disparut au coin de la rue.

10

Ce qui s'était passé dans la Buick noire

Quand Moustache m'a attrapé par le col pour me tirer de derrière le canapé, j'ai bien cru que ma dernière heure était arrivée. Ils se sont mis à me parler en américain tous les deux, à toute vitesse. Comme je ne leur répondais pas et que ça devait les énerver, Cravate-Rouge m'a flanqué deux paires de gifles. Et pas des gifles ordinaires ! Ma tête s'est mise à tourner. Un peu plus et il m'assommait. Ils ont dû s'en rendre compte car Moustache a dit quelque chose à l'autre et le gros a arrêté. Peut-être qu'ils avaient peur de me tuer. Et cette fois ils ont recommencé à me parler, mais tout doucement, en me faisant des sourires, comme s'ils étaient mes meilleurs copains, ces deux hypocrites.

De toute façon, je ne saisissais toujours pas un mot. Il me semble qu'ils me posaient des questions, parce qu'ils se taisaient de temps en temps, comme s'ils attendaient une réponse. Quand j'ai eu repris mes esprits, j'ai commencé à réfléchir. Et je me suis dit qu'il fallait gagner du temps et qu'il était inutile de leur montrer que je connaissais quelques mots d'anglais. J'ai pointé le doigt sur ma poitrine et j'ai dit :

« Français. *French. No speak english. Not understand.*[1] »

À mon avis, ça ne devait pas être des lumières, parce qu'il leur a fallu au moins cinq minutes pour réaliser que j'étais étranger et que ça ne servait à rien de continuer à m'asticoter comme ça, parce que ce n'est pas en tapant sur quelqu'un et en l'engueulant sans arrêt qu'on peut l'obliger à parler une langue. Même La Baleine et la mère Lescure le savent...

Ils ont fouillé mon sac et mon blouson, en vidant tout par terre. Le contenu ne devait pas les intéresser : ils se sont mis à jurer. Inutile d'avoir les sous-titres pour savoir que c'étaient des jurons. Le son suffisait.

Ils ont tout remis dans le sac, en vrac, puis se sont mis à parler entre eux à voix basse. Ce qui montre qu'ils n'avaient pas fait de progrès, parce que, si je ne pouvais pas comprendre leurs questions, je ne risquais pas non plus de surprendre leurs secrets. Mais peut-être qu'ils pensaient que c'était une ruse, que je faisais semblant. J'aurais bien aimé. Mais franchement, même si j'avais été premier en anglais, je n'aurais pas pigé un mot de plus. D'abord ils mangeaient leurs phrases,

---

1. « Français. Parle pas anglais. Pas comprendre. »

ensuite ils avaient des accents complètement différents de ceux des Américains que j'avais entendus avant. Probablement qu'ils parlaient argot.

En tout cas, je ne devais pas les impressionner beaucoup car ils avaient rangé leurs revolvers. Le gros m'a pris par le bras et m'a traîné sur le palier pendant que le moustachu éteignait les lumières et verrouillait la porte avec sa carte magnétique.

Je ne pouvais même pas leur demander ce qu'ils allaient faire de moi. Je me consolai en me disant qu'ils n'auraient pas répondu.

J'avais peut-être une chance de leur échapper au rez-de-chaussée, quand ils seraient obligés de passer devant les agents de sécurité. Sauf s'ils allaient directement prendre une voiture dans les parkings du sous-sol... Sans en avoir l'air, je repérai le bouton de l'ascenseur sur lequel appuyait Moustache. C'était un gros bouton avec une lettre au lieu d'un numéro. J'étais trop loin pour pouvoir lire cette lettre. Ce qui est sûr, c'est que ce n'était pas le dernier bouton du bas. J'avais peut-être une chance.

Quand la cabine s'immobilisa, le gros me prit par le bras et me dit quelque chose, sur un ton très sec. Certainement une menace. Pour souligner cet avertissement, il écarta sa veste et me laissa voir son arme. Ça ne me fit pas vraiment peur. Il n'oserait pas me tirer dessus dans le hall de l'Empire State Building ! Mais il pouvait me flanquer un coup de crosse ou quelque chose comme ça. Le souvenir des gifles me rappelait que j'avais affaire à une brute.

Ils avaient bien prévu leur manœuvre. Le moustachu a parlé aux vigiles pour les distraire pendant que Cravate-Rouge me cachait derrière lui en me tordant le bras. Il était si gros que les gardiens ne devaient pas me voir. Et ils ne faisaient pas du tout attention. Je voulais crier pour les avertir, mais aucun son ne sortait de ma gorge. La peur paralysait mes cordes vocales. Et pourtant, ça peut vous paraître bizarre, mais j'avais les idées très claires. Je voyais tous les détails : les vitraux à côté des ascenseurs, les bas-reliefs et les dalles de marbre dans le hall...

Et tout d'un coup, un cri retentit dans le hall, derrière moi.

« Pierre ! »

Je me retournai et j'aperçus Hervé, Victor et Nicole Poron, au fond du hall, qui me faisaient des signes. Je me demandai si je ne rêvais pas. Mais cette fois, je n'eus pas besoin de me pincer pour le vérifier car ce salaud de Cravate-Rouge me serra le bras pour me forcer à avancer plus vite.

Sur le trottoir de la Cinquième avenue, devant l'Empire State Building, une voiture nous attendait. Une Buick noire d'une longueur incroyable avec des rideaux aux fenêtres. Ils me jetèrent à l'intérieur et la voiture démarra aussitôt, en souplesse, sans faire le moindre bruit.

L'intérieur était exactement comme dans les films.

Un vrai petit salon, avec bar et télévision. Une grosse vitre nous séparait du chauffeur. À l'arrière, il y avait deux personnes, en plus de Moustache et de Cravate-Rouge : un vieux en costume noir brillant et une femme. Le vieux était placé en face de moi et la femme dans le coin, près de la portière. Moi, j'étais assis entre Cravate-Rouge et Moustache. J'avais déjà vu cette femme quelque part. C'était une blonde coiffée très court. Où l'avais-je rencontrée ? Dans ma tête tout se mélangeait : les cauchemars, les souvenirs de la télé et tout ce qui s'était passé depuis mon arrivée à New York.

Ça y est ! C'était la blonde en imperméable vert, celle qui avait laissé le bureau grand ouvert et qui m'avait enfermé. Je ne l'avais pas identifiée tout de suite parce qu'elle avait changé de vêtements. Dans la voiture, elle portait une veste en mouton retourné, des jeans et des bottes.

La blonde me sourit.

« *Where are you from ?*[1] »

J'avais compris, mais je préférais ne pas le montrer. J'écartai les mains et remuai la tête. Le vieux se pencha vers moi. Il avait une grosse voix rauque, très désagréable.

Je fis les mêmes mimiques.

« *It's a Frenchie*[2] », dit Moustache.

---

1. « D'où es-tu ? »
2. « C'est un Français. »

La femme prononça quelques mots, sur un ton aimable, puis se rapprocha de moi.

« Ainsi, tu es français ? »

Elle n'avait pas beaucoup d'accent.

Je gardai le silence.

« Tu n'es tout de même pas muet ? »

Je me demandais si la présence de cette femme, qui parlait si bien ma langue, était un avantage ou un inconvénient.

Elle posa sa main sur la mienne. Je fus tenté de la retirer mais ce contact était agréable, il avait quelque chose de rassurant. Pourtant je me doutais bien qu'elle cherchait à me mettre en confiance.

« Comment t'appelles-tu, mon garçon ?

— Pierre.

— Ah, il parle, tout de même ! (Elle se tourna vers le vieux et dit quelque chose, en américain.) Alors écoute-moi, il vaut mieux que tu répondes à mes questions, parce que, moi, je suis très gentille, mais les gens qui sont dans cette voiture sont beaucoup moins patients que moi et ils sont capables d'être très méchants...

Ça, j'en étais certain. Mes joues me cuisaient encore...

« Que faisais-tu chez *Muffins Administrators* ?

— Je suis entré par hasard.

— Par hasard ? Tu te promenais par hasard dans l'Empire State Building, la nuit ?

— Je voulais monter en haut, à l'observatoire, mais

c'était fermé. Je ne voulais pas que les gardiens me voient et je me suis caché dans les bureaux. Je vous jure que c'est vrai. Je n'ai rien volé. »

Le vieux m'interrompit. La femme se mit à parler en américain. Sans doute qu'elle traduisait.

« Et comment as-tu fait pour te procurer la clé et le code de la porte ?

— C'était ouvert. »

Son expression changea d'un seul coup.

« À quelle heure es-tu entré ?

— Vers dix-huit heures.

— Je vois... Heureusement que nous sommes seuls tous les deux à parler français. Ça vaut beaucoup mieux pour nous deux. Surtout, si tu sais l'anglais et que tu le caches, ne dis rien ! »

Je ne comprenais pas du tout ce qu'elle voulait dire. Je devais ouvrir de grands yeux. Elle me fit un petit clin d'œil puis recommença à traduire.

Il me sembla avoir deviné. Elle avait fait une erreur en laissant tout grand ouvert. Les autres risquaient de l'engueuler, ou peut-être même de lui flanquer des gifles pour la punir. Voilà pourquoi elle ne voulait pas que je dise aux autres comment j'étais entré ! Elle ne devait pas tout leur traduire.

« Bien, dit-elle, ces personnes ne sont pas contentes du tout que tu sois rentré dans les bureaux et que tu aies touché aux ordinateurs. Car c'est bien toi qui as touché aux ordinateurs, n'est-ce pas ?

— Oui, avouai-je. Je m'ennuyais et je cherchais des jeux. »

Elle traduisit à nouveau. Le vieux s'agita et fit de grands gestes.

« Ils ont du mal à te croire. Tu as beau être jeune. Ils se demandent tout de même si tu n'as pas été envoyé par quelqu'un pour fouiller dans les bureaux...

— C'est impossible, m'écriai-je. Je suis arrivé de Paris par l'avion de deux heures avec toute ma classe. »

Ses yeux se plissèrent, comme si elle fixait quelque chose. Je crus que c'était moi qu'elle dévisageait ainsi, pour m'intimider, mais non, elle regardait derrière moi, par-dessus mon épaule.

« Ne te retourne surtout pas, dit-elle. Dis-moi, tu n'as pas des amis dans un taxi jaune ?

— Des amis dans un taxi jaune ?

— Oui, un taxi jaune nous suit depuis l'Empire State Building. Ces crétins ne s'en sont pas aperçus pour le moment... »

Ces crétins... Voulait-elle me faire croire qu'elle ne marchait pas avec eux ? Pour me faire parler ? Fallait-il lui dire la vérité ? Que signifiait cette histoire de taxi jaune ? Hervé, Victor et Nicole Poron avaient-ils pris un taxi pour nous suivre ? Ça me démangeait de me retourner, mais si cette femme ne cherchait pas à me rouler, je risquais de lui faire du tort en lui désobéissant.

Si elle n'était pas leur complice, que pouvait-elle bien faire avec cette bande ? Elle avait l'air beaucoup plus sympa que les autres, pourtant je me méfiais tout de même...

Elle devina peut-être les pensées qui s'agitaient dans mon crâne, car elle me sourit à nouveau.

« Je suis ton amie, Pierre. Il faut me faire confiance. C'est très important. Je fais croire aux autres que je te parle pour te calmer, pour éviter que tu te mettes à crier ou à pleurer.

— Où m'emmenez-vous ? Qui sont ces hommes ? Et que me veulent-ils ? Je n'ai rien volé, rien cassé dans les bureaux...

— Calme-toi. Tu auras peut-être une réponse à ces questions plus tard. Je pense que nous allons dans une maison à la campagne, mais tu n'iras pas jusque-là. Je vais t'aider à t'échapper. Quand je te ferai signe, tu vas courir rejoindre tes amis dans le taxi jaune. Ce sont bien tes amis, n'est-ce pas ? Un garçon à l'avant, à côté du chauffeur, et un autre à l'arrière, un Noir, avec une jeune fille. Mais surtout, ne te retourne pas ! »

Plus de doute, mes copains nous suivaient ! Cette certitude me remonta le moral. Je ne les aurais pas crus assez gonflés pour faire ça.

« Ce sont des élèves de ma classe, avouai-je.

— Alors, attends que je te fasse signe pour te sauver. »

Me sauver ? Comment donc voulait-elle que je m'y prenne, coincé entre Moustache et Cravate-Rouge ? Je jetai un œil au travers des vitres. J'aperçus un lac ou un étang gelé, des arbres. Avions-nous déjà quitté New York ? Je ne me voyais pas en train de me sauver dans la campagne américaine déserte, par ce froid horrible, avec les autres à mes trousses.

La blonde surprit mon regard.

« Pas ici, je te ferai signe. Ne t'inquiète pas : ils font un détour dans Central Park pour s'assurer qu'on ne les file pas, mais ils ne se méfient pas du taxi de tes amis. Je leur ai dit que ce n'était pas le même. »

Ne pas m'inquiéter, c'était facile à dire !

Elle recommença à parler américain avec les autres. Le vieux n'avait pas l'air satisfait de ce qu'elle lui racontait. Il ronchonnait. Je l'observai discrètement. Avec son nœud papillon, son costume en tweed et sa montre en or, il faisait plus chic que Moustache et son acolyte. D'après son ton, lorsqu'il leur parlait, il me sembla que c'était le chef.

Soudain le chauffeur poussa un juron. Je fus projeté en avant et faillis tomber sur les genoux de la femme. Je crus que nous avions eu un accident, mais il n'y eut pas de choc et la voiture s'immobilisa. Le conducteur se retourna et prononça quelques mots. C'était un jeune, je lui trouvai une sale tête. Le vieux fit un signe à Moustache qui hocha la tête d'un air mécontent, puis ouvrit la portière et descendit. J'entendis un bruit, comme s'il traînait quelque chose dans la neige. Ils avaient peut-être écrasé quelqu'un...

« C'est une poubelle qui bloque le passage », dit la femme blonde.

Moustache avait mal refermé la porte qui laissait passer un filet d'air glacé. Il n'y avait personne entre la rue et moi...

Je croisai le regard de la blonde. Elle devina encore mes pensées.

« Non. Ce n'est pas un bon endroit. Attends que je te fasse signe. Et il faudra faire exactement ce que je te dirai. »

J'inclinai la tête pour lui montrer que j'avais compris.

Moustache remonta dans la voiture en se frottant les mains et en poussant des jurons. Ça n'avait pas dû lui plaire de traîner la poubelle dans le froid. J'avais l'impression que c'était lui qui écopait des corvées. La blonde lui jeta un regard. Un sourire ironique apparut sur son visage puis s'effaça aussitôt. Elle méprisait ce type. Je compris qu'elle était vraiment de mon côté et que je pouvais lui faire confiance.

Le chauffeur s'engagea dans une large avenue bien éclairée. Il y avait des magasins, des panneaux publicitaires et beaucoup de circulation. Je pouvais distinguer les visages des gens dans les autres voitures. On entendait de la musique et des coups de klaxon. On avançait très lentement.

« Écoute-moi bien, dit la blonde, car il n'y aura peut-être pas d'autre occasion. Nous sommes à Broadway. C'est un quartier où il y a beaucoup de monde et de policiers. Je vais demander à l'homme qui est à côté de toi d'aller m'acheter des cigarettes dans un drugstore. Tu attendras quelques secondes qu'il se soit un peu éloigné avant de te sauver. Mais ce n'est pas tout. Pour tromper les autres et les gêner, je vais me jeter sur toi et t'empoigner. Je me placerai entre l'autre homme et toi, pour qu'il ne puisse pas intervenir. Et toi, tu me mordras au poignet pour que je te lâche. Tu t'en sens capable ?

— Vous mordre pour de bon ?

— Pour de bon, il faut qu'il y ait une marque. Ne t'inquiète pas. Tu n'as pas la rage, alors ça n'est pas grave... »

Pour avoir manigancé tout ça, c'était vraiment un cerveau ! Moi j'avoue que je n'aurais jamais pensé à tous ces détails. Et elle n'avait pas non plus peur de souffrir, parce que se faire mordre, ça fait mal. Quand j'étais en C.M.2, il y avait une fille qui mordait les autres élèves. Elle en avait envoyé trois à l'infirmerie du collège...

« Tu as bien compris ? »

J'inclinai la tête.

« Alors, quand il descendra, compte jusqu'à vingt dans ta tête, pour lui laisser le temps d'entrer dans le magasin. Et ensuite, fonce rejoindre tes amis dans le taxi. Avec tout ce monde, tu n'as rien à craindre, ils n'oseront pas sortir leurs armes ni s'attaquer au chauffeur du taxi. Les embouteillages les empêcheraient de filer assez vite et les flics pourraient arriver. Tout ce que tu risques, c'est qu'ils te courent après. Tu cours vite ?

— Je suis le meilleur de ma classe, et j'ai de bonnes chaussures !

— Parfait. Mais fais attention : ça glisse ! Ne tombe pas sous une voiture. »

Elle se tourna vers le vieux et lui parla, en lui souriant, comme si elle voulait lui faire du charme. Le vieux donna une petite tape sur l'épaule du chauffeur. Celui-ci manœuvra pour changer de file et se rapprocher du trottoir. Une fois la voiture immobilisée, le vieux fit à Moustache le même signe que lorsqu'il l'avait fait descendre pour déplacer la poubelle. C'était un petit geste de la main. Ça montrait qu'il avait de l'autorité sur l'autre. Moustache recommença à hocher la tête mais obéit. Comme la première fois, il repoussa la porte derrière lui sans la verrouiller.

Je me préparai à bondir.

Mon cœur donnait de furieux coups dans ma poitrine.

Je comptai jusqu'à vingt et bondis.

« *Little bastard !*[1] » glapit la blonde.

Elle se jeta sur le siège entre le gros et moi, et me saisit par le col de mon blouson. Je n'eus qu'à incliner la tête pour la mordre. Elle poussa un hurlement suraigu et se mit à gesticuler. Je poussai la porte d'un coup d'épaule et sautai dans la rue.

Je repérai le taxi jaune assez facilement, puis je vis Hervé qui se précipitait au-devant de moi. J'étais sauvé. Mais, aie ! Ça glissait terriblement. Je ne pouvais pas courir. Je me rattrapai au capot d'une voiture. Des gens se mirent à klaxonner. Je cherchai Hervé des yeux, ne le vis plus. Une grosse Jeep s'était placée devant lui...

Je jetai un œil par-dessus mon épaule en direction de la grosse voiture noire. Cravate-Rouge en descendait. Et, en face de moi, Moustache sortait du magasin, un paquet à la main ! Pendant quelques secondes, la peur me paralysa. S'ils me rattrapaient, ils allaient me flanquer une raclée auprès de laquelle les paires de gifles ne seraient que de joyeux souvenirs ! Ils se rapprochaient, chacun d'un côté. Impossible de continuer dans la direction d'Hervé et du taxi jaune. Cra-

1. « Petit connard ! »

vate-Rouge me barrait la route. Je fis demi-tour. Le trottoir était dégagé. J'avais davantage de chance de les semer ici qu'au milieu de la chaussée entre les voitures, où je risquais à tout moment de me faire renverser.

Devant les magasins, la neige et la glace avaient été déblayées. Le sol était beaucoup moins glissant. Je pouvais sprinter. J'hésitai à me réfugier dans un drugstore ou un restaurant. Je ne saurais pas m'expliquer en américain. Les autres s'empareraient de moi en donnant un prétexte quelconque aux employés. Ils n'auraient qu'à prétendre qu'ils étaient mes parents. Pas facile de réfléchir à tout cela en continuant à courir le plus vite possible !

Dans ma course, je bousculai un groupe de personnes bien habillées qui sortaient d'un théâtre. L'idée me vint de me dissimuler dans la foule et de souffler un peu. Je m'arrêtai, me retournai et m'efforçai de repérer mes poursuivants. Je les aperçus à une centaine de mètres. Rester ici était trop risqué car les gens allaient se disperser rapidement. Certains hélaient des taxis, d'autres s'éloignaient à pied.

Je me remis à courir, toujours droit devant moi sur le trottoir. Je passai devant des cinémas et des restaurants où l'on voyait des gens dîner, au travers des vitrines, mais personne ne faisait attention à moi. Je me trouvai tout d'un coup en face d'un escalier qui descendait dans le sous-sol de New York. Il y avait une petite pancarte ronde avec un M et l'inscription *Times Square*.

Le métro !

J'hésitai à m'y engager car cela paraissait très sombre et les profs nous avaient parlé du métro de New York comme d'un lieu particulièrement dangereux. L'endroit me faisait un peu peur mais Moustache et Cravate-Rouge m'effrayaient encore davantage.

Je dévalai les marches du métro quatre à quatre.

11

Traque dans le métro

Les deux types poursuivaient Pierre sur le trottoir, et moi je courais derrière eux, sans trop savoir ce que j'allais pouvoir faire pour aider mon ami. Mais je ne pouvais tout de même pas le laisser seul aux prises avec ces gangsters. Car maintenant, j'étais pratiquement sûr qu'il s'agissait de truands et non de policiers. Ou alors, ils appartenaient à un service secret qui avait des raisons mystérieuses de vouloir enlever Pierre... J'ignorais ce que faisaient Nicole et Victor et j'espérais qu'ils allaient prévenir les profs pour qu'on vienne à notre secours.

Le trottoir était un peu moins glissant que la chaussée, mais les deux bandits se cassaient tout de même régulièrement la figure. J'avais moi-même beaucoup de mal à conserver mon équilibre. Après avoir parcouru deux ou trois cents mètres, j'avais cependant acquis une certaine technique. Mes chaussures de trekking à semelles crantées me donnaient un net avantage, si bien que je rattrapai les poursuivants au moment où ils jouaient des coudes pour se frayer un passage au milieu d'une foule qui sortait d'un spectacle.

Si j'avais parlé couramment l'américain, j'aurais sans doute demandé de l'aide. Mais, le temps de me faire comprendre et de m'expliquer, les autres seraient déjà loin devant et ils auraient peut-être repris mon copain... Ça n'est même pas sûr que les gens m'auraient aidé. Peut-être qu'ils auraient eu peur et préféré ne pas s'en mêler et risquer un mauvais coup. Ça se passe déjà bien souvent comme ça à Paris, alors à New York...

Après avoir traversé la foule, je ne vis plus Pierre. Le trottoir était bien dégagé, mais il n'y avait devant moi que les deux autres qui, eux aussi, hésitaient et regardaient dans toutes les directions. Pierre avait-il réussi à se cacher ou à les semer ?

L'un des types tendit le bras. Il montrait quelque chose à l'autre. Ils s'élancèrent et s'engouffrèrent dans un escalier. Une station de métro ! À New York, elles sont beaucoup moins bien signalées qu'à Paris où on les voit de très loin. Du moins celle-là ne se remarquait pas si on ne faisait pas très attention. Il n'y avait même pas d'éclairage à l'entrée. Je m'approchai et hésitai à les suivre là-dedans. Je risquai de me perdre. Je faillis faire demi-tour et revenir vers le taxi. L'idée que je ne pouvais pas laisser tomber Pierre m'en dissuada. On ne peut tout de même pas se dire le meilleur ami de quelqu'un et l'abandonner quand il est en difficulté, n'est-ce pas ?

Le couloir était sombre et ça sentait très mauvais. J'avançais très prudemment. Je n'avais aucune envie de me retrouver nez à nez avec les deux autres. Je pataugeai dans des flaques d'eau boueuse. Des fils électriques noirâtres pendaient au plafond, les murs s'effritaient et suintaient. À deux reprises, je heurtai des gens qui dormaient par terre, enroulés dans des couvertures et des toiles. Ils protestèrent, poussant des grognements et m'insultant. L'un d'eux se redressa et tendit le poing vers moi en hurlant. Je m'éloignai prudemment. Tout avait l'air déglingué là-dedans, au point que je me demandai si la station n'était pas désaffectée. Pourtant, à l'extrémité du couloir, on apercevait des lumières. On entendait aussi de la musique, de plus en plus fort.

J'arrivai dans une salle carrée où une femme lisait son journal derrière un guichet vitré. La musique provenait du radiocassette de deux jeunes qui s'étaient installés là pour boire de la bière à l'abri de la tempête qui soufflait dehors. Il y avait pourtant de sacrés courants d'air et ça n'avait pas l'air d'être chauffé, ou alors vraiment pas beaucoup. Une grille rouillée qui aurait eu sa place dans une prison du Moyen Âge occupait toute la paroi du fond. Au-delà de cette grille, on apercevait des quais déserts. Pas trace de Pierre ni des deux autres...

Je m'approchai du guichet.

« Please, have you seen a boy with a yellow cap ?[1]

— How many token ?[2]

— Sorry, I don't understand. I am French.

— How many token ? »

Je répétai ma question, mais elle répondait invariablement « How many token ? » *La troisième fois, elle haussa les épaules et se replongea dans son journal.*

Inutile d'insister. Cette femme ne s'occupait pas de ce qui se passait dans sa station. Je décidai d'acheter un ticket pour aller voir sur les quais si Pierre s'y trouvait.

« One ticket, please. »

À cet instant, quelqu'un me tapa sur l'épaule. Je fus si surpris qu'un cri de frayeur m'échappa. Je me trouvai en face d'un grand Noir qui me souriait en me montrant quelque chose, dans sa main, une pièce de monnaie ou un jeton.

« Not ticket, token ! »

Je compris alors qu'on utilisait des jetons et non des tickets dans le métro de New York. Ça n'avait rien d'évident et cette bonne femme aurait pu faire l'effort de me l'expliquer. Peut-être que les profs nous l'avaient dit, mais je n'avais pas dû faire attention.

Le Noir insista pour me faire cadeau de son jeton. Je le remerciai chaleureusement. Pour parvenir sur le quai, il fallait franchir un tourniquet, mais il n'y avait pas, comme à Paris, de système compliqué pour empêcher les fraudeurs de passer par-dessus et, quand on avait intro-

---

1. « S'il vous plaît, avez-vous vu un garçon avec une casquette jaune ? »
2. « Combien de jetons ? »

duit le jeton dans la fente, l'appareil ne le rendait pas. On ne pouvait donc pas prouver qu'on avait payé. Ça devait être beaucoup plus facile de resquiller. Ces détails ont retenu mon attention pendant quelques instants. Tout cela était si nouveau pour moi que j'en oubliai momentanément ce que je faisais ici.

Sur le quai, il n'y avait qu'une dame assise sur une banquette de bois. Je m'approchai d'elle et constatai qu'elle dormait. Je n'osai pas la réveiller. Pourtant elle sentit ma présence et sursauta. Elle ouvrit les yeux, poussa un petit cri et serra son sac sur sa poitrine. Je tentai de la questionner mais elle paraissait complètement terrorisée.

Je renonçai à en tirer quoi que ce soit. J'aperçus alors deux hommes, à l'extrémité du quai. Ce n'étaient pas ceux qui poursuivaient Pierre. Même de loin, ils avaient une allure complètement différente. Je courus jusqu'à eux. Ils travaillaient dans une petite guérite vitrée. Il me sembla que c'étaient des employés de la R.A.T.P. de New York. (Ce n'est certainement pas le nom qui convient, mais je ne le connais pas et même les profs n'ont pas été capables de me l'indiquer...) Ils n'avaient pas d'uniformes, seulement des blousons, et je les trouvai très sales. L'un était grand, blond, avec une queue de cheval et une boucle d'oreille, l'autre petit, brun, avec des yeux en amande, des pommettes saillantes et un nez busqué – il avait une tête d'Indien ! Rencontrer un Indien dans le métro de New York, je ne m'y attendais pas, mais il avait l'air sympa et très décontracté.

Je posai lentement ma question « Have you seen a boy with a yellow cap ? »*, en m'appliquant à prononcer correctement et, miracle ! l'Indien pointa son doigt sur l'autre quai. Je lui demandai par où il fallait passer pour atteindre cet endroit. Il m'indiqua un couloir, un peu plus loin. Après la guérite, le quai se poursuivait et devenait si étroit qu'on pouvait à peine s'y croiser. Une rame de métro passa à côté de moi dans un vacarme effroyable. Elle franchit la station sans s'arrêter.*

Me voilà donc reparti dans les couloirs. Si Pierre était ressorti par une autre issue, je perdais mon temps. Comment savoir ? Ce couloir était un peu moins sale que le premier et mieux éclairé. Je ne me sentais pourtant pas très rassuré chaque fois que je voyais apparaître une silhouette ou que j'entendais des pas. J'ai croisé un groupe de jeunes, genre rappeurs, avec des casquettes à l'envers. Ils m'ont lancé des plaisanteries que je ne compris pas. Ils n'avaient pas l'air agressifs. Il n'aurait plus manqué qu'ils me piquent mon blouson ou mes godasses. C'était un coup à attraper une pneumonie...

Le couloir était d'une longueur interminable. J'avais l'impression d'avoir traversé la moitié de New York sous terre. Il déboucha enfin sur un embranchement. Quel côté choisir ? Je me sentais complètement découragé. Non seulement j'ignorais comment m'y prendre pour secourir Pierre, mais je n'étais même pas certain de suivre la bonne direction. J'essayai de me mettre dans la peau de Pierre. Qu'aurais-je fait à sa place ? Je considérai les numéros de ligne et les inscriptions sur les murs. Une flèche indiquait « Down Town » *et une autre* « Bronx »... *Moi, j'aurais pris* « Down Town » *plutôt que d'aller me perdre dans un quartier pourri comme le Bronx, dont les profs nous avaient dit tant de mal pendant la préparation du voyage... Allons-y pour* Down Town *!*

Le grondement d'un train résonna dans le couloir. Je ne devais plus être loin. Je me mis à courir et arrivai à l'instant où la rame s'immobilisait le long du quai. Les parois des wagons étincelaient et tranchaient avec la noirceur sordide du souterrain. Une douzaine de voyageurs descendirent et autant d'autres montèrent. Parmi eux, je ne distinguai ni Pierre ni ses poursuivants. Mon ami n'avait pas choisi « Down Town »*, voilà tout ! Ou bien il était ressorti de la station...*

À l'instant où les portières allaient se refermer, une silhouette surgit au bout du quai et bondit dans le métro. Je me précipitai moi aussi dans le wagon le plus proche. Les deux types jaillirent alors de l'ombre et réussirent eux aussi à monter, deux wagons derrière moi. Je me trouvais donc entre Pierre et ses poursuivants.

La ruse de Pierre était habile : il s'était caché jusqu'à l'arrivée de la rame dans l'espoir de semer les autres en sautant dans le métro à la dernière seconde. J'éprouvai une certaine admiration pour mon ami. Pourtant, ça n'avait pas marché. Les autres étaient malins eux aussi.

Il y avait pas mal de monde et cela me rassura. Je n'aurais pas aimé voyager dans un wagon vide. Des gens très élégants qui revenaient d'une réception ou d'un spectacle côtoyaient des clochards et des individus habillés de façon très bizarre, mais personne ne semblait faire attention aux autres. Les sièges n'étaient pas disposés de la même façon que chez nous. Du plafond, pendaient des poignées permettant de se tenir mais j'étais trop petit pour en attraper une. Je réussis à m'adosser à un montant de siège. Ça valait mieux car il y avait beaucoup de secousses.

Un grand barbu coiffé d'un bonnet à oreillettes se mit tout d'un coup à brandir une bible et à haranguer les gens. Personne ne l'écoutait, mais ça n'avait pas l'air de le déranger et il continuait son discours.

Comment rejoindre Pierre et que faire pour se débarrasser de ces deux types ?

Je me creusais la tête pour trouver la bonne tactique quand une porte s'ouvrit, au fond du wagon. Un moustachu apparut, suivi d'un gros homme chauve et rougeaud. C'étaient nos poursuivants ! Les wagons communiquaient... Ils allaient nous rattraper avant la prochaine station !

Quand ils passèrent devant moi, ils me dévisagèrent, hésitèrent mais poursuivirent leur chemin – je ne ressemble pas du tout à Pierre et, comme je vous l'ai dit, je portais un bonnet marin bleu et lui une casquette jaune. Pourtant ils m'avaient remarqué. Il ne devait pas y avoir beaucoup de jeunes de notre âge dans le métro de New York à une heure pareille et ç'avait dû faire tilt *dans leur crâne...*

L'homme à la bible leur barra le passage et attrapa le moustachu par la manche.

« Brother, listen to the God'words ![1] »

L'homme tenta de se dégager d'un mouvement violent, mais l'autre l'agrippa en répétant « Listen, brother ! » *Le gros, qui arrivait derrière, frappa alors l'illuminé d'un coup sec sur l'épaule, pour lui faire lâcher prise. Le moustachu réussit à se libérer, mais l'homme à la bible voulut alors prendre le gros dans ses bras. Celui-ci lui envoya une violente bourrade.*

Le prêcheur ne se découragea pas pour autant et revint aussitôt à la charge, bras ouverts, comme pour embrasser son agresseur, qui perdit alors son sang-froid, dégaina son revolver et le braqua sur le type. Le prêcheur se laissa tomber à genoux devant lui en tendant sa bible. Les gens n'avaient pas l'air de vouloir s'en mêler, mais il y eut un mouvement de panique quand le moustachu sortit son arme. Plusieurs personnes voulurent s'éloigner du lieu de l'incident.

Je dus m'accrocher au dossier d'un siège pour ne pas être entraîné par les gens qui refluaient. Seul un énorme Noir en jogging ne bronchait pas. Son casque de baladeur sur les oreilles, les yeux mi-clos, il se dandinait sur sa banquette.

Fou de rage, le moustachu se mit à hurler en brandissant toujours son arme.

« Get lost ! I'll kill you ![2] »

1. « Frère, écoute la parole de Dieu ! »
2. « Dégage. Je vais te tuer ! »

Cette menace n'eut pas l'air d'impressionner le bonhomme. Le moustachu renonça alors à le convaincre de s'écarter et essaya de le contourner, mais les bras du prêcheur se refermèrent autour de ses jambes. Il bascula et se rattrapa à la veste du gros. L'illuminé paraissait avoir beaucoup de force : il souleva les jambes du moustachu, puis poussa en avant, contraignant le gros à reculer, malgré son poids. Le moustachu, privé de tout appui sur le sol, s'accrochait désespérément à son complice. Finalement les trois hommes s'effondrèrent sur le sol. Le premier à se dégager fut le moustachu. Sa hargne déformait son visage. Il rangea son arme et flanqua deux coups de pied dans le ventre du prêcheur. Il voulut récidiver, mais le Noir, sans quitter sa banquette, leva vers lui une main apaisante.

« Stop, man, it's enough ![1] »

Le gros qui s'était relevé lui aussi invita son acolyte à se calmer. Il brossa sa veste et son pantalon du revers de la main et repartit vers le fond du wagon, suivi par le moustachu. Le prêcheur se mit debout à son tour, péniblement, ramassa sa bible et s'élança en boitillant derrière les autres.

Je les suivis.

Si seulement le métro avait eu la bonne idée de s'arrêter à une station pendant la bagarre, j'aurais pu en profiter pour rejoindre Pierre et filer, mais le voyage semblait interminable. Nous avions dépassé plusieurs stations où attendaient des gens sans nous arrêter.

1. « Arrête, mon pote, ça suffit ! »

Quelqu'un avait peut-être tiré le signal d'alarme quand le moustachu avait sorti son revolver, mais, en principe, quand on tire le signal d'alarme, le métro s'arrête. À moins que ce ne soit le contraire à New York... Pour essayer de savoir ce qui se passait, j'abordai un homme en pardessus bleu marine, bien cravaté, qui portait un attaché-case.

« Please, sir, the train doesn't stop ?[1]

— *C'est un train direct, mon garçon. Nous ne nous arrêtons pas avant Brooklyn. Il faut faire très attention quand on monte dans le métro, il y a des directs, des semi-directs et des trains qui s'arrêtent partout. C'est la première fois que tu viens à New York City ? »*

Il s'exprimait en français, avec un très léger accent.

« Oui monsieur. Vous avez dit Brooklyn ?

— Exact, Brooklyn. Où vas-tu ?

— Eh bien, je crois que je suis perdu. »

Il se pencha vers moi, plein de sollicitude.

« Perdu ? Nous allons arranger ça. »

Enfin quelqu'un qui avait l'air de s'intéresser aux autres ! Fallait-il lui expliquer la situation ?

« D'où viens-tu, mon garçon ?

— De Paris. Je suis en voyage scolaire.

— Ah ! Paris... J'y suis allé il y a deux ans. Mais où loges-tu à New York ?

— À l'hôtel Lexington, 14e rue...

— Ce n'est pas précisément par ici. Je vais t'expliquer comment faire. Mais pour le moment, nous devons aller

1. « S'il vous plaît, monsieur, le train ne s'arrête pas ? »

jusqu'à Brooklyn. Nous en avons encore pour un quart d'heure.

— J'ai des ennuis, monsieur, pouvez-vous m'aider ? »

Ses sourcils se froncèrent.

« Quel genre d'ennuis ?

— Vous avez vu les deux hommes qui viennent de passer, ceux qui se sont battus ? Ils recherchent un élève de ma classe qui se trouve dans un autre wagon.

— Ce sont des policiers ?

— Non, je ne crois pas, je pense que ce sont des gangsters. Vous avez vu comment ils ont frappé cet homme ?

— Ça ne veut pas dire grand-chose. Il y a des policiers qui se conduisent parfois comme des brutes. Pourquoi recherchent-ils ton camarade ? »

Je résumai la situation le plus simplement possible, ce qui n'était guère facile. Il m'écouta attentivement, mais cette histoire devait lui sembler si bizarre qu'il me prenait peut-être pour un mythomane...

« Qu'est-ce que ton copain a bien pu fabriquer en haut de l'Empire State Building ?

— Je n'en sais rien, mais je vous jure que c'est vrai : ils l'avaient kidnappé et il s'est sauvé.

— Alors, si tu veux mon avis, et si cette histoire est exacte, il faut que tu alertes la police dès que nous arriverons à Brooklyn. Je ne vois rien d'autre à faire.

— Vous ne pouvez pas m'aider ?

— Je vais aller trouver les policiers avec toi. Mais tu comprends bien que je ne peux pas me battre avec ces deux hommes que je ne connais pas et qui sont armés...

— Et si vous veniez avec moi voir mon camarade ? Ils n'oseront pas l'enlever si vous êtes avec nous.

— Tu crois ça ? Mais mon garçon, moi aussi j'ai une famille. C'est à la police de régler ça... »

Je compris alors qu'il avait peur de s'en mêler. À sa place, j'aurais peut-être réagi de la même façon, je n'en sais rien. Quoi qu'il en soit, je me retrouvais seul. Et, pendant que je discutais avec cet homme, les autres avaient peut-être déjà rejoint Pierre !

« Ça ne fait rien, dis-je. Merci monsieur, je vais me débrouiller ! »

Je m'élançai. L'homme tenta de me retenir.

« Mais tu es fou ! Reviens ! »

Je me faufilai parmi les voyageurs. Ceux-ci ne mettaient pas beaucoup de bonne volonté à me laisser passer. Ma progression n'était pas facile. Je m'efforçai de ne bousculer personne pour ne pas provoquer un nouvel incident. « J'entendis quelqu'un qui criait « He is crazy ![1] ». *Il me sembla que c'était l'homme à qui je venais de parler. En tout cas, il ne me suivait pas. Il avait préféré rester sagement à sa place. Lui n'était pas fou... Quant aux autres voyageurs, ils paraissaient tout à fait indifférents. Tout juste protestaient-ils par des grognements ou des réflexions lorsque je les dérangeais. Ils avaient dû en voir beaucoup d'autres.*

J'allais atteindre la porte du fond du wagon quand un crissement terrible me vrilla les oreilles. C'étaient les freins du métro : acier contre acier. On aurait dit un hur-

1. « Il est fou ! »

lement venu de l'enfer ! Toute la rame vibrait comme si elle allait exploser. Emporté par mon élan, je heurtai la porte, perdis l'équilibre, tombai sur les genoux d'une dame qui poussa un cri aigu. Les gens tentaient de se retenir comme ils le pouvaient. Ceux qui étaient debout dégringolaient les uns sur les autres comme un jeu de quilles. Enfin le métro s'immobilisa et le silence revint. Le sac de la dame sur qui j'étais tombé s'était ouvert et son contenu s'éparpillait sur le sol. Je voulus l'aider à ramasser ses affaires mais elle me repoussa, craignant peut-être que j'en profite pour la voler. Je n'insistai pas.

En me redressant, je me tournai vers la fenêtre.

Le spectacle m'a paralysé de stupeur.

Le métro semblait suspendu dans le vide. Un gouffre noir s'ouvrait en dessous de nous ! Une multitude de petits points lumineux scintillaient dans la nuit. Peu à peu ma vue s'est accommodée à l'obscurité, et je distinguai des poutrelles métalliques, les silhouettes des buildings de Manhattan, un bateau qui se déplaçait lentement, très loin.

La poursuite m'avait tellement accaparé que je n'avais pas songé à regarder le paysage. Je ne m'étais même pas aperçu que le métro roulait à ciel ouvert.

Passé le moment de stupéfaction, je réalisai que le train était bloqué au milieu d'un pont, au-dessus d'une immense étendue d'eau.

12

Poursuite dans le vide

Lorsque je grimpai dans le métro, au dernier moment, je crus avoir semé mes poursuivants. J'eus l'impression de recevoir un coup terrible sur la tête quand je les vis apparaître sur le quai et bondir à leur tour dans une voiture de la rame. Ils s'étaient cachés eux aussi et étaient restés tapis dans un coin jusqu'à l'arrivée du train. Ma ruse n'avait pas suffi à m'en débarrasser. J'espérais pourtant disposer d'un répit jusqu'à la prochaine station, car j'ignorais qu'on pouvait passer d'une voiture à l'autre pendant la marche du train. Voir cette porte s'ouvrir au fond du wagon et Cravate-Rouge apparaître fut donc une épouvantable surprise ! Tout à fait comme dans les cauchemars où les monstres surgissent toujours au moment où on ne les attend plus.

Heureusement pour moi, il y avait trop de monde dans le wagon pour qu'ils se déplacent rapidement. Je me précipitai vers l'autre porte. J'avais un avantage sur eux : je me faufilais plus facilement au milieu de la foule. Si j'avais su le dire en américain, je me serais mis à hurler que j'étais poursuivi par des sadiques, mais je n'avais pas une seconde à perdre pour composer la phrase qui convenait. À tout hasard, je me mis tout de même à brailler « *Help me ! Help me !* » dans l'espoir qu'il y aurait un héros pour leur sauter dessus. Un costaud aurait au moins pu bloquer la porte derrière moi sans prendre de risques, mais comment expliquer ça avec mon maigre vocabulaire ?

Je traversai deux wagons au pas de course. Une femme que j'avais bousculée voulut me flanquer une gifle mais me manqua. Je réussis à atteindre une nouvelle porte. Hélas ! au travers de la vitre, je constatai qu'elle donnait accès à la cabine du conducteur et qu'elle était verrouillée. Cette fois, j'étais coincé. Je ne pouvais pas aller plus loin. Pourtant j'avais pris un peu d'avance. Si on arrivait à la prochaine station avant qu'ils m'aient rejoint, j'avais encore une chance de leur échapper dans les couloirs.

J'en avais vraiment ras le bol de cette poursuite et, croyez-moi, je regrettais amèrement d'avoir voulu à tout prix monter en haut de l'Empire State Building. Tout cela à cause de cette sale vache de Lescure ! Ma colère contre la prof enflait, je lui en voulais presque davantage qu'aux deux types qui me coursaient !

Le train dépassa plusieurs stations sans s'arrêter. C'était bien ma veine ! Et le terrible instant que je redoutais arriva : Moustache et son acolyte ont ouvert à leur tour la porte du wagon. Quand ils m'ont vu, ils se sont mis à ricaner. Ils devaient savoir que j'étais pris au piège. Ils ne se pressaient pas.

Ils se rapprochaient, tranquillement, en évitant de bousculer les gens, sans doute pour éviter un incident. Je distinguai nettement leurs expressions. Un rictus de rage déformait les traits de Moustache et la face du gros était aussi rouge que sa cravate. La course les avait fait souffrir. Ils allaient se venger cruellement. Imaginer les tortures qu'ils risquaient de me faire subir me liquéfiait, transformait mes jambes en chewing-gum. À la télévision, j'avais vu des gangsters coincer dans un étau la tête d'un homme qui les avait dénoncés...

Je jetai un œil dans la cabine. Le conducteur était un vieux avec une couronne de cheveux blancs autour de son crâne chauve. Il ne ferait pas le poids face aux deux autres et sans doute qu'il ne lèverait pas le petit doigt pour me protéger...

Je regardai autour de moi, à la recherche d'une personne susceptible de me venir en aide. Une petite femme était plongée dans son livre, trois jeunes Noirs coiffés de casquettes de couleurs vives discutaient avec animation, un homme grand et gros mangeait des frites qu'il puisait dans un sac en papier et buvait des gorgées de bière. C'était le seul dont la carrure pourrait peut-être en imposer aux autres. Je m'approchai de lui et tendis le doigt vers Moustache et Cravate-Rouge qui n'étaient plus qu'à quelques mètres.

« *Help me !* »

L'homme aux frites me dévisagea, puis regarda les deux gangsters d'un air surpris. Son cerveau avait l'air de fonctionner très lentement. Enfin, il se leva et fit un pas en direction des deux autres, la main tendue en avant. Il avait facilement deux têtes de plus que Moustache et était large comme une barrique. Il leur barrait complètement le passage. Pour déplacer un homme pareil, il fallait une force herculéenne. Même avec un revolver, je n'aurais pas aimé me trouver en face d'un client de ce genre.

Moustache dégaina aussitôt son arme.

« *Get away, bastard !*[1] »

Le géant écarta les mains, balança sa grosse tête et, docilement, retourna s'asseoir, sans un regard pour moi.

Il ne restait plus que le conducteur. Je tambourinai sur la porte de sa cabine, mais il ne broncha pas. Il ne devait pas m'entendre. Son travail l'avait peut-être rendu sourd. J'aperçus alors, juste au-dessus de moi, une poignée jaune et l'inscription « *Alarm* ». Sans hésiter une seconde, je m'emparai de la poignée et tirai de toutes mes forces.

Pendant quelques secondes rien ne se passa et je crus que le signal d'alarme ne fonctionnait pas ou que je n'avais pas tiré assez fort. Puis les freins rugirent, le

---

1. « Dégage, salaud ! »

plancher du wagon vibra sous mes pieds, et des gens se mirent à hurler. Je m'étais préparé à cet arrêt brutal en m'adossant à la paroi tout en me tenant solidement à une barre, de sorte que je réussis à conserver mon équilibre tandis que Moustache et Cravate-Rouge basculaient en avant et s'affalaient piteusement.

Quand le bruit des freins et les vibrations cessèrent, une voix rauque retentit derrière moi. Sans comprendre un mot, il me sembla que c'était à moi que cette voix s'adressait. Je me retournai et me trouvai nez à nez avec le conducteur. Il avait les poings sur les hanches et paraissait furieux.

La petite dame qui lisait son livre pointa son doigt sur moi, pour désigner le coupable. Les trois jeunes ricanèrent. Le gros homme recommença à manger ses frites, le nez baissé, comme si de rien n'était. Moustache et Cravate-Rouge se relevèrent l'un après l'autre, mais ne firent pas mine d'avancer vers moi.

« C'est eux, criai-je en français. C'est eux qui ont tiré le signal d'alarme ! »

Les sourcils du conducteur s'arrondirent. Il prononça encore quelques mots incompréhensibles pour moi, de sa même voix rauque de cow-boy de western, puis voulut me saisir par mon blouson. Ce mouvement l'éloigna de la porte qui était restée ouverte. Je me précipitai dans la cabine. Il fut si surpris qu'il n'eut pas le réflexe de m'arrêter. Je voulus alors refermer la porte et la verrouiller pour me protéger, mais il appuya de tout son poids de l'autre côté et je manquai mon coup.

Il ne me restait qu'une issue : la porte qui donnait sur la voie...

Dehors, un vent glacé me fouetta le visage et manqua m'arracher ma casquette. La tornade qui déferlait sur le pont produisait une sorte de hululement en s'engouffrant entre les poutrelles métalliques. Sous mes pieds le sol glissait dangereusement. La couche de neige dissimulait des plaques de glace. Je tâtonnai dans la pénombre pour trouver un point d'appui et réussis à avancer jusqu'à une rambarde. Le spectacle me cloua sur place.

En dessous de moi, c'était le vide, le noir absolu. Sans la rambarde, le vent m'aurait précipité dans cet abîme sans fond. Ce parapet n'était constitué que d'une barre métallique fixée au pont par des montants entre lesquels il n'y avait absolument rien pour se retenir. On pouvait très facilement passer sous cette barrière et dégringoler. Je crus un instant être revenu dans mon rêve, au bord de la fenêtre de l'Empire State Building. Mais, tout en bas, il n'y avait plus les rues de New York mais la mer, ou un fleuve, je ne savais pas. C'était immense. Inutile de songer à rejoindre la côte à la nage dans cette eau glacée. Et je me trouvais si haut que, si je tombais, je mourrais certainement avant d'atteindre la surface et d'être englouti.

Je savais tout cela mais, sans vouloir me vanter, je n'étais pas aussi effrayé que certains l'auraient été à ma place. Je vivais un peu cette poursuite comme un rêve où l'on réussit toujours à s'en tirer. Ça m'excitait, comme dans un match ou une course, quand on ne sent plus la fatigue. L'idée de me trouver au milieu de la voie avec un train fonçant sur moi tous phares allumés me faisait en revanche très peur. Je décidai donc de repartir en sens inverse de la marche du métro au cas où il redémarrerait.

J'observai le train. La silhouette d'un homme que je ne pouvais pas identifier se découpait dans le rectangle lumineux de la porte de la cabine du conducteur. Ils hésitaient peut-être à me poursuivre sur le pont. S'ils le faisaient, j'avais un avantage sur eux : mes chaussures de marche accrochaient mieux que les leurs sur le sol glacé. Cette pensée me réconforta. Après avoir parcouru quelques dizaines de mètres, je trouvai la meilleure technique pour avancer le plus vite possible sans tomber et sans rester trop près du métro qui risquait toujours de repartir : je laissai ma main droite glisser le long du parapet métallique de façon à pouvoir me retenir en cas de nécessité et je marchai d'un pas rapide, mais sans courir. Sur ma gauche, au travers des vitres du métro, on apercevait les silhouettes des voyageurs. Il me sembla que certains m'adressaient des signes mais je n'en étais pas sûr.

Après avoir dépassé le dernier wagon, je constatai avec inquiétude que le chemin qui me restait à parcourir était encore long. Les lumières qui brillaient au bout du pont avaient l'air très lointaines. Je me retournai à nouveau. Cette fois je distinguai une silhouette qui se déplaçait le long du train ! Ils avaient donc décidé de me poursuivre. Il y avait probablement des endroits pour se cacher et tendre un piège à mes poursuivants, sous le pont par exemple, mais je ne m'en sentais pas capable. Il aurait fallu placer des objets pour les faire tomber ou attacher une corde au parapet pour qu'ils se prennent les pieds dedans, mais je n'avais pas de corde à ma disposition. Je continuai donc à marcher le plus vite possible, d'un pas régulier. Ma technique était bien au point : je ne tombai pas une seule fois.

Je me retournai pour observer mon poursuivant. Il était tout seul, mais peut-être qu'il y en avait un autre qui marchait derrière lui. Après avoir lui aussi dépassé le dernier wagon, il se fondit dans l'obscurité. Le savoir derrière moi sans pouvoir le voir était très inquiétant. Je m'immobilisai à deux reprises pour écouter mais n'entendis qu'un sourd grondement venu d'assez loin qui se mélangeait au bruit du vent.

Ce n'est qu'après avoir marché un bon moment que je commençai à souffrir terriblement du froid. La crainte d'être rattrapé par Moustache et Cravate-Rouge m'avait obsédé au point d'effacer mes autres sensations. Maintenant, je me rendais compte que le froid était un ennemi tout aussi dangereux que ces deux hommes. Les rafales de vent et les tourbillons de neige me transperçaient les os. J'aurais donné n'importe quoi pour me retrouver bien au chaud dans ma chambre, dans la maison de mes parents, ou au moins avec les autres, à l'hôtel.

Ces veinards étaient maintenant dans leurs lits pendant que je traversais ce pont qui n'en finissait pas.

N'entendant et ne voyant toujours rien derrière moi, je m'arrêtai pour prendre une barre de chocolat que j'avais conservée au fond de mon sac. De la glace s'était formée sur la paroi du sac et sur la fermeture Éclair. Impossible de l'ouvrir. Sale coup ! Moi qui avais compté sur le chocolat pour me réchauffer et me donner des forces. J'avais maintenant envie de me recroqueviller sur le sol pour offrir moins de prise au vent et de rester immobile. Pourtant je savais que m'arrêter de marcher était très dangereux. On m'avait raconté l'histoire d'une famille perdue dans les bois en pleine nuit dont les enfants étaient morts de froid parce qu'ils s'étaient allongés dans la neige sans bouger.

Je continuai donc à marcher comme une mécanique. Le train était maintenant loin derrière moi et il me sembla que les lumières de la rive se rapprochaient un peu. Combien pouvait mesurer ce pont ? Les profs l'avaient certainement dit pendant la préparation du voyage, mais je ne m'en souvenais pas. Il n'était tout de même pas aussi grand que le pont de Tancarville ! Je me consolai en me disant que ça ne m'aurait pas avancé à grand-chose de connaître les dimensions du pont. Ça m'aurait peut-être même découragé...

Soudain le grondement s'amplifia. Une trépidation

parcourut le pont. Je me retournai et aperçus deux taches lumineuses qui trouaient la nuit comme les yeux d'une grosse bête qui aurait foncé dans l'obscurité. Le souvenir des monstres de mes cauchemars me remplit de frayeur pendant quelques secondes. Pourtant je savais qu'il ne s'agissait pas d'un monstre mais d'un train venant en sens inverse. De crainte d'être pris dans les phares et d'offrir une cible à mes poursuivants, qui étaient peut-être tapis derrière moi dans l'obscurité, je m'aplatis derrière une poutrelle métallique.

Le flot lumineux se répandit sur la voie. On y voyait comme en plein jour. La neige tourbillonnait dans cette clarté aveuglante. Il n'y avait personne derrière moi, ou alors mes poursuivants s'étaient cachés eux aussi.

Le train ne roulait pas très vite. Au passage, je distinguai nettement les voyageurs. J'en remarquai certains qui lisaient et d'autres qui avaient des casques sur les oreilles. Ils allaient bientôt se retrouver sur l'autre rive alors que je devrais continuer à marcher. Faire du métro-stop et arrêter ce train aurait été bien pratique, malheureusement c'était impossible. Le conducteur et les passagers ne me voyaient même pas. Ou alors il aurait fallu que je me place sur les rails, face à la motrice, au risque de me faire écrabouiller.

Le train s'éloigna, le grondement diminua, se transforma en bourdonnement de plus en plus faible, puis le silence revint. Je me retrouvai seul. Je rageai en songeant que j'étais dans une des plus grandes villes du pays le plus riche du monde, mais que j'étais aussi perdu au milieu de ce pont que si je m'étais trouvé dans les steppes de Sibérie ou sur la banquise !

Je marchai encore pendant un bon moment. Des gouttes gelées perlaient au bout de mon nez. Je ne sentais plus mes membres. Ma main gauche, qui restait au fond de ma poche, se portait un peu mieux que la droite, que je laissais traîner sur le parapet. Il aurait fallu réchauffer mes deux mains à tour de rôle mais c'était impossible. Quant à mes doigts de pieds, j'étais convaincu qu'ils allaient se casser en morceaux quand je retirerais mes chaussettes. Le froid et le désir de boire un chocolat bien chaud étaient devenus une obsession. Ça me joua un mauvais tour : je glissai et, comme je ne m'y attendais plus du tout et que mes réflexes étaient à demi paralysés, je ne réussis pas à me retenir. Je tombai en avant, sur un coude, et continuai à déraper, emporté par mon élan, au point que ma tête arriva au-dessus du vide ! À la dernière seconde, alors que j'allais basculer dans la nuit, mes pieds s'enfoncèrent dans la neige. Quand j'y pense aujourd'hui, je crois que c'est l'instinct de conservation qui m'a protégé : mes pieds ont agi de leur propre initiative sans que mon cerveau leur en ait donné l'ordre. Quoi qu'il en soit mes pieds m'ont sauvé en me servant de frein et en ralentissant ma glissade. Je réussis à dégager mon bras droit et à saisir une poutrelle métallique.

Je restai ainsi quelques secondes dans cette position,

à plat ventre, la tête dans le vide. Enfin pas complètement. Seule la partie supérieure de ma tête, jusqu'à mes yeux, dépassait, mais je peux vous assurer que ça faisait un sale effet. Devant moi, on apercevait plein de petites lumières et, au loin, la silhouette sombre d'un immense pont suspendu. D'un restaurant panoramique, cette vue aurait sans doute été magnifique, mais, dans ma situation, elle me laissait complètement indifférent. Pourtant j'avais envie de demeurer allongé, de ne plus bouger, de fermer les yeux, de m'évader dans le monde des rêves. Quelque chose, tout au fond de ma conscience, me disait qu'il fallait me relever, que si je m'endormais ici on me retrouverait mort demain matin, transformé en bloc de glace. Je rassemblai donc toutes mes forces pour lutter contre l'épuisement et le sommeil.

Une violente douleur me traversa le bras gauche lorsque je pris appui sur mes deux mains pour me redresser. Je retombai à plat ventre. Ma main gauche se trouvait dans ma poche au moment de ma chute. Je l'avais retirée à la dernière seconde, mais mon coude avait heurté le sol. Je m'étais probablement cassé quelque chose. Sur le coup je n'avais rien senti. C'est lorsque je voulus utiliser mon bras gauche que le supplice commença. Je renonçai donc à me servir de ce bras. Je rampai en arrière pour m'écarter du vide puis roulai sur le côté droit, ramenai mes talons sous mes fesses et essayai de me redresser à l'aide d'un seul bras. Je parvins ainsi à m'asseoir, mais cela me demanda tant d'efforts qu'il me sembla que je ne trouverais jamais la force de me remettre sur pieds et surtout de recommencer à marcher.

Je me trouvais toujours assis sur les talons dans la neige quand il me sembla entendre des voix. Elles se mélangeaient au sifflement du vent, de sorte que je me demandai si mon imagination n'était pas en train de me jouer un tour. Au prix d'un nouvel effort, je pivotai pour observer le pont. Deux silhouettes au profil bizarre avançaient vers moi. Une flaque de lumière vive m'aveugla. J'aurais voulu me relever, bondir, courir, mais mon corps refusait désormais de m'obéir. J'étais paralysé, à la fois par la peur, le froid et la fatigue. Je ne sentais plus la douleur ni même mon corps. La transformation en bloc de glace avait commencé.

Une énorme main s'abattit sur mon épaule. Deux monstres caparaçonnés m'empoignèrent, me soulevèrent. Ils étaient sortis de mes cauchemars pour venir me traquer sur ce pont. C'était fini. Ils m'avaient retrouvé et allaient me précipiter dans le vide. J'allais m'enfoncer dans l'eau noire comme une pierre et disparaître à jamais. Mes parents, mes professeurs ignoreraient tout de mon sort. J'aurais voulu hurler mais aucun son ne sortit de ma gorge. Pourtant j'éprouvais un bien-être étrange. Les créatures fantastiques m'emportaient sur leurs ailes dans un lieu mystérieux...

13

Hervé perdu dans Brooklyn

Pourquoi le métro s'immobilisait-il ainsi au milieu du pont ? Panne ? Accident ? La bagarre avait peut-être incité un voyageur à déclencher le signal d'alarme. Mais maintenant, plus personne ne pouvait quitter le train, ni Pierre, ni ses deux poursuivants, ni moi. Cela signifiait que les deux hommes allaient fatalement le rattraper. Il ne restait plus qu'à espérer que la police ou les employés du métro interviennent rapidement.

Autour de moi, les voyageurs commentaient cet arrêt imprévu. Quelques-uns prenaient leur mal en patience mais la plupart rouspétaient, comme cela se passe chez nous quand le métro est bloqué dans un tunnel. Un vieux monsieur faisait un discours aux autres qui ne l'écoutaient pas.

Après avoir été un moment distrait par le choc, je déci-

dai de repartir à la recherche de Pierre. Mais il était de plus en plus difficile de circuler dans les wagons. Les gens ne voulaient pas me laisser passer. Ils étaient de mauvaise humeur et se défoulaient sur moi. Un homme m'attrapa par le bras et me força à m'asseoir sur une banquette.

« Don't move, boy ![1] »

Qu'est-ce que ça pouvait bien lui faire que je me déplace ? Mais les autres personnes semblaient l'approuver, comme si je risquais d'empêcher le métro de repartir en changeant de wagon ! Je bouillais de rage et d'humiliation.

« Look ![2] »

Ma voisine pointait son doigt sur la vitre.

Quelqu'un se déplaçait le long du train. J'essuyai la buée avec ma main pour mieux voir. Un cri m'échappa :

« Pierre ! »

Je tambourinai sur la vitre pour attirer son attention, mais il marchait droit devant lui, très vite, sans regarder dans ma direction. Il continua son chemin sans me voir. Je voulus le suivre, mais l'homme qui m'avait déjà obligé à m'asseoir me retint par le bras.

« Stop, boy ! It's enough ![3] »

Se croyait-il investi d'une mission pour me protéger ou cherchait-il seulement une victime sans défense pour se défouler ? Furieux de passer aux yeux des voyageurs pour un garnement dissipé, je rongeai mon frein en silence.

---

1. « Ne bouge pas, petit ! »
2. « Regarde ! »
3. « Arrête, petit ! Ça suffit ! »

Pierre sortit bientôt de mon champ de vision. Un homme vêtu d'une veste en cuir et d'une casquette fourrée passa à son tour sous mon nez. Ce n'était pas un des deux types qui avaient enlevé mon ami. Il avait plutôt l'air d'un employé du métro, ce qui me rassura un peu. Il s'éloigna, puis réapparut bientôt. Il n'avait pas rattrapé Pierre...

Une voix grésilla dans un haut-parleur et le métro repartit.

L'angoisse m'envahit. Pierre restait tout seul au milieu du pont, en pleine tempête ! Il risquait de tomber ou de mourir de froid. Il fallait prévenir quelqu'un de toute urgence pour qu'on vienne le secourir.

Après avoir franchi le pont, le métro s'engouffra dans

un tunnel souterrain. Beaucoup de gens se massèrent à côté des portières. J'en déduisis qu'on allait enfin s'arrêter. L'homme qui m'avait empêché de me déplacer s'était lui aussi approché des portières. Je me plaçai à bonne distance de lui, car il ne m'inspirait pas confiance.

Sur le mur de la station, je lus « High Street ». *Je gravai ce nom dans ma mémoire, au cas où il me faudrait expliquer où je me trouvais. Je n'avais pourtant pas l'intention d'attendre qu'on vienne me chercher : j'avais de quoi payer un taxi pour me ramener au Lexington Hotel. Pourtant la première chose à faire était de téléphoner pour prévenir les profs que Pierre était resté au milieu du pont.*

Je me mêlai à la foule qui se dirigeait vers la sortie. Dans cette masse, je me sentais plus ou moins en sécurité. Une fois dehors, les gens s'éloignèrent dans toutes les directions, sans doute pressés de rentrer chez eux et de rejoindre leurs familles bien au chaud.

Je me retrouvai donc seul sur le trottoir, en pleine nuit, dans cette ville inconnue où il faisait un froid épouvantable. Cet endroit me sembla très différent de ce que j'avais vu de New York jusqu'à présent. Il n'y avait pas de gratte-ciel. Les maisons étaient tristes et sales. Beaucoup de voitures circulaient encore, dont de nombreux taxis jaunes, mais je ne repérai aucun véhicule de police.

Je trouvai facilement une cabine téléphonique, hélas je n'avais pas les pièces nécessaires : il me manquait dix cents *! La seule solution était d'aborder quelqu'un pour lui demander de la monnaie ou d'entrer dans un café.*

Je savais heureusement que « pièce de monnaie » se dit « coin » *en américain et je préparai ma phrase.*

Les rares passants filaient à toute vitesse, tête baissée, et certains avaient des allures un peu inquiétantes. Si je sortais un billet de cinq dollars – mon plus petit – en pleine rue, on allait me le voler et peut-être même m'attaquer pour me prendre tout ce que j'avais sur moi. Je me dirigeai donc vers des vitrines éclairées qu'on apercevait à quelques centaines de mètres.

Une demi-douzaine de bistros étaient encore ouverts. Une forte odeur de graillon me prit à la gorge. Des marchands installés dans des petites guérites proposaient des saucisses grillées et des brochettes. Quelques clients frigorifiés se pressaient autour de ces baraques. Certains s'emmitouflaient dans de vieilles couvertures et des duvets. Tous paraissaient très pauvres. Cet endroit me faisait penser à certains quartiers de la banlieue de Paris ou de la porte de Clignancourt que j'avais eu l'occasion de traverser avec mes parents. Ça ne ressemblait pas du tout à l'Amérique comme on l'imagine d'habitude.

À qui m'adresser sans risquer de me faire dépouiller ?

J'avisai un marchand qui avait une tête plutôt sympathique : un petit vieux moustachu à la peau très sombre. Je lui tendis mon billet de cinq dollars, en m'efforçant de ne pas me faire voir des autres clients. Il me donna en échange un beignet graisseux enveloppé dans un morceau de papier, deux billets verts et plein de petites pièces, ce qui me convenait parfaitement. Le goût du beignet m'écœura, mais je n'osai ni le jeter devant tout le monde ni le donner à quelqu'un. Je le gardai donc dans ma main et entrai dans une cabine téléphonique.

Cette cabine était aussi crasseuse et aussi déglinguée que celle qu'on peut trouver dans certains quartiers de chez nous. Quant au téléphone, c'était un modèle rouillé qui datait au moins des années cinquante sinon de la conquête de l'Amérique par Christophe Colomb ! Le couvercle avait été fixé par un énorme cadenas, sans doute pour empêcher les gens de faucher l'argent...

Je sortis mon calepin, trouvai le numéro de l'hôtel Lexington.

C'était la première fois que je téléphonais à New York. Je ne savais pas comment il fallait s'y prendre. Il y avait peut-être un indicatif à faire ou une manœuvre, car ça n'avait pas l'air de marcher. L'appareil, fort heureusement, me rendait mes pièces après chaque essai infructueux. Il ne semblait pas détraqué car on entendait la tonalité. Je décidai de tout reprendre à zéro et de lire attentivement le mode d'emploi, mais il était à moitié effacé par l'usure. Il y avait de quoi être découragé, surtout si l'on songe que, pendant ce temps-là, mon copain Pierre se gelait sur le pont de Manhattan...

Au quatrième essai, cet appareil pourri refusa de me rendre mes pièces ! Je le frappai d'un coup du plat de la main, dans l'espoir de récupérer ma mise. Une grêle de coins *s'abattit dans le réceptacle métallique.*

« Jackpot *! » fit une voix derrière moi.*

Je me retournai et me trouvai en face du gros type chauve qui avait poursuivi Pierre.

14

Tout s'explique

La première chose que je vis lorsque j'ouvris les yeux fut un monstre en armure jaune qui se penchait sur moi en grimaçant. Je refermai les yeux, dans l'espoir de lui échapper dans le monde des rêves. En fait je ne savais pas très bien si je me trouvais encore dans un cauchemar ou si je venais de me réveiller pour de bon. Il me fallut quelques instants pour retrouver mes esprits et m'assurer que je ne dormais pas. Ce n'était pas un monstre qui m'observait, mais un homme en ciré jaune avec son capuchon sur la tête. J'étais allongé sur une couchette dans une pièce aux murs de brique peints en vert où régnait une douce chaleur. Un second personnage en ciré se tenait à côté de l'autre, mais lui avait retiré son capuchon. C'était une femme noire aux cheveux frisés. Elle me souriait.

« *How are you, boy ?*[1]

— *It's O.K.* », répondis-je.

Je me redressai sur ma couchette. Tous mes membres fonctionnaient. Les affiches placardées sur les murs représentaient des ouvriers casqués en train de travailler sur des voies. Je supposai que je me trouvais dans un local de repos ou une infirmerie des employés du métro. Ils m'avaient trouvé sur le pont et transporté ici avant que je me sois définitivement transformé en bloc de glace. Ils m'avaient sauvé la vie. Dans un élan de gratitude, je sautai au cou de la femme noire et l'embrassai. Elle parut très contente et se mit à rire aux éclats.

« *He is alive !*[2] »

Son compagnon me tendit un gobelet de carton qui contenait un liquide fumant. Ignorant de quoi il s'agissait, je goûtai, prudemment. C'était du chocolat. Cette boisson me parut merveilleuse. J'eus l'impression de me réveiller une deuxième fois. Mais toutes sortes de questions trottaient dans ma tête. Combien de temps avais-je passé sur le pont ? Quelle heure était-il ? Qu'étaient devenus les copains qui me suivaient dans le taxi jaune ? Les profs avaient-ils été prévenus ?

Et mon sac ? Où était passé mon sac ? Il me semblait me souvenir que je l'avais sur mon dos quand je marchais sur le pont. J'avais même essayé de l'ouvrir

---

1. « Comment ça va, mon gars ? »
2. « Il est vivant ! »

pour prendre une barre de chocolat. Pourvu qu'il ne soit pas resté sur le pont ou tombé dans l'eau.

Je regardai autour de moi et ne le vis pas. La femme noire devina sans doute ce que je cherchais. Elle se baissa et ramassa le sac qui se trouvait sous la couchette. La glace qui bloquait la fermeture Éclair avait fondu. Je l'ouvris et pris mon carnet.

« Téléphone », dis-je, en plaçant mon index devant ma bouche et mon pouce sur mon oreille, comme quelqu'un qui parle dans un appareil.

Ils me montrèrent qu'ils avaient compris par des mouvements de tête. Je sautai de ma couchette sur le sol, mais lorsque mes pieds touchèrent le sol, mes jambes refusèrent de supporter mon poids. Je vacillai. L'homme et la femme voulurent me forcer à me rallonger, mais j'insistai en répétant « téléphone » et en faisant le même geste. Je n'avais qu'une hâte : retrouver au plus vite le reste de la classe et les profs, même si je devais me faire salement engueuler.

Ils se décidèrent à m'emmener dans la pièce voisine où un appareil était posé sur une table et m'installèrent dans un fauteuil en plastique. Je m'apprêtais à composer le numéro de l'hôtel Lexington quand une troisième personne entra dans la pièce.

Un cri de surprise m'échappa.

C'était la femme blonde qui m'avait aidé à m'échapper de la Buick noire !

Elle sortit une carte de la poche de son blouson, la

montra aux employés du métro, la fit disparaître et s'approcha de moi.

« Comme on se retrouve, petit Français !

— Qu'est-ce que vous faites là ? »

Elle éclata de rire, puis fronça les sourcils, comme si elle voulait se donner l'air méchant.

« Tu as l'air en pleine forme pour poser des questions ! Mais, comme on dit dans mon métier, c'est moi qui pose les questions. »

Elle prit mon carnet.

« Tu voulais téléphoner pour rassurer tes professeurs, n'est-ce pas ? »

J'inclinai la tête. Allait-elle m'empêcher de prévenir les profs ? S'agissait-il d'une ruse ou était-elle vraiment de mon côté ? Avait-elle montré une vraie carte aux employés, ou une fausse carte pour les tromper ?

Mon inquiétude devait se lire sur mon visage car elle mit les poings sur les hanches et s'exclama :

« Mais on dirait que tu ne me fais toujours pas confiance ! Je t'ai pourtant aidé à te sauver ! Tu ne t'en souviens pas. Regarde ma main ! »

Elle retroussa la manche de son blouson. Sur son poignet apparaissaient les traces bien nettes de mes dents...

« J'ai dû vous faire mal !

— Ça n'est pas grave. Je te l'avais demandé. Tu t'en souviens, maintenant ?

— Je m'en souviens très bien, mais...

— Mais quoi ?

— Il faut que je prévienne mes professeurs ! Ils risquent d'alerter la police et mes parents. Ils vont s'affoler !

— Eh bien, nous allons le faire. »

Elle lut à haute voix, en américain, le numéro de l'hôtel Lexington et pianota sur les touches de l'appareil.

« Comment se nomme le professeur qui est responsable de votre voyage ? »

J'ignorais si l'un des trois profs était plus responsable que les deux autres, mais je n'avais pas envie qu'elle tombe sur la mère Lescure ou sur Fizard.

« La Baleine, dis-je. (Le mot m'avait échappé.) Pardon, M. Duffik...

— Et toi, Pierre, quel est ton *last name,* ton nom de famille ?

— Lecouvreur. Pierre Lecouvreur...

— Eh bien, nous allons appeler M. Duffik.

— Qu'est-ce que vous allez lui dire ? Vous allez lui raconter toute l'histoire ?

— Je vais essayer d'arranger les choses. (On entendit un déclic, à l'autre bout du fil.) *Lexington Hotel ? May I speak to Mister Duffik. Ya, the French teacher...* (Un moment s'écoula encore pendant lequel elle plaça sa main devant le micro.) Monsieur Duffik ? Agent Helen Tsakarakis, F.B.I. Je suppose que vous devez être très inquiet. Je vous appelle à propos de votre élève Pierre Lecouvreur... »

D'une pichenette, elle abaissa un bouton sur le socle

de l'appareil et la voix de La Baleine s'éleva dans la pièce. On l'entendait comme s'il était juste à côté de nous. Ça faisait un drôle d'effet. À vrai dire, je me sentis transporté de joie de l'entendre ! Et pourtant La Baleine m'avait engueulé plus d'une fois...

« Il lui est arrivé un accident ?

— Non, non, rassurez-vous, il se porte comme un charme. (Elle détacha chacune de ses syllabes en prononçant cette phrase.) C'est bien ainsi qu'on s'exprime dans votre langue ?

— *It's the right way,* confirma La Baleine qui voulait sans doute montrer qu'il parlait anglais. Mais, euh, le garçon est avec vous ?

— Il est à côté de moi.

— Que lui est-il arrivé ?

— Pierre a été pris, involontairement, dans une affaire qui nous concerne. Il n'est pas du tout responsable de cet incident. C'est un peu compliqué à expliquer par téléphone, mais tout va bien maintenant. Nous vous le déposerons à l'hôtel d'ici une heure ou deux...

— Une heure ou deux ? s'inquiéta La Baleine. Vous êtes si loin que ça ?

— Nous ne sommes pas très loin, mais nous allons encore avoir besoin de lui pendant un petit moment. Mais n'ayez aucune inquiétude, Mister Duffik. Je vais vous le passer. »

Elle me tendit le combiné. Je tremblais de nervosité en le prenant. J'avais du mal à trouver mes mots.

« Allô, c'est toi, Lecouvreur ?

— Oui, m'sieur.

— Et tu es avec des agents du F.B.I. ? Je te croyais dans la famille de tes cousins... »

La femme blonde reprit l'appareil et me fit un clin d'œil.

« C'est nous qui lui avons demandé de laisser ce message. Nous vous expliquerons tout, mais le temps presse. À bientôt, Mister Duffik, et ne vous inquiétez pas, vous retrouverez Pierre dans deux heures au plus.

— Le problème, c'est que trois autres de nos élèves sont partis à sa recherche, du moins d'après ce que nous avons compris.

— Nous allons également vous les ramener. Ne vous inquiétez pas, Mister Duffik. »

Elle raccrocha, sans laisser à La Baleine le temps de poser d'autres questions et me fit un nouveau clin d'œil.

« Ainsi tu n'auras pas d'ennuis avec tes professeurs. J'ai été bonne, non ? »

C'est vrai qu'elle se débrouillait drôlement bien en français et qu'elle avait réussi à entortiller La Baleine.

« Mais pourquoi, dans deux heures seulement ? » demandai-je.

Elle me prit par les épaules.

« Pierre, il me semble que tu as fait une connerie grosse comme toi en montant tout seul en haut de l'Empire State Building et en visitant les bureaux, O.K. !

— O.K. !...

— Nous te rendons un bon service : nous te couvrons auprès de tes professeurs. Mais service pour service, nous en avons un à te demander. »

Je n'aurais jamais deviné qu'elle avait une idée de ce genre derrière la tête...

« Vous croyez vraiment que je peux vous rendre un service, m'dame ?

— Je ne crois pas, je suis sûre ! À propos, comme je l'ai dit à ton professeur, je me nomme Helen. Tu peux m'appeler Helen. En Amérique, on s'appelle presque toujours par son prénom... »

J'allai lui demander de quel service il s'agissait, mais la femme noire revint avec un plateau, deux tasses de chocolat et des petits gâteaux secs. Helen refusa le chocolat mais attendit que j'aie fini le mien pour m'emmener. Avant de partir, j'embrassai encore la femme noire et je serrai la main de son collègue.

Nous avons traversé des couloirs immenses. Nous étions dans une station de métro : on entendait le grondement des trains, en dessous de nous.

« Tu as dû avoir drôlement froid sur ce pont », dit Helen.

Rien que d'y penser, je frissonnai.

À la sortie de la station, trois voitures étaient rangées à la queue leu leu en double file. Dans celle du milieu, j'aperçus Nicole et Victor. Ils gesticulaient et m'adressaient des signes, au travers de la vitre. Je voulus courir vers eux, mais Helen me fit monter dans la première voiture, à côté du chauffeur.

Et devinez qui conduisait ? Je vous le donne en mille !

Dents-Blanches ! L'homme que j'avais rencontré dans l'ascenseur de l'Empire State Building !

15

Hervé prisonnier à son tour !

L'homme m'empoigna par le bras en me serrant si fort qu'il me fit mal et me tira hors de la cabine téléphonique. Son compère, le moustachu, prit les pièces qui étaient tombées dans le réceptacle métallique et s'amusa à les faire sauter dans sa main. Un coin *lui échappa, roula sur le sol de la cabine et tomba dans la neige. Il ne le ramassa pas. Il glissa trois autres pièces dans la fente de l'appareil, composa un numéro et dit quelques mots. Avec lui, le téléphone fonctionnait du premier coup, ce n'était vraiment pas juste !*

Je me retrouvai sur le trottoir glacé encadré par les deux hommes. Ils me tenaient par le bras, sans prononcer une parole. Ils avaient relevé les cols de leurs vestes et semblaient aussi frigorifiés que moi. De temps en temps le moustachu se mettait à trépigner rageusement pour se réchauffer. Il avait l'air très nerveux. Après dix minutes d'attente, une voiture blanche s'arrêta devant nous. Ils me firent monter à l'arrière, entre eux, toujours sans dire un mot.

La voiture était confortable, il y faisait chaud. Je fermai les yeux et m'endormis, malgré la peur. Je ne sais donc pas combien de temps dura le trajet ni par où nous sommes passés. Soudain, on me secoue, et je constate que nous sommes dans un garage. Un escalier, des couloirs, nous entrons dans un salon très luxueux où deux hommes sont assis dans des fauteuils...

À mon arrivée, l'un des deux hommes se leva. Il était grand, maigre, très bien habillé, et portait des lunettes d'écaille.

« Ah, te voilà ! Heureusement que, moi, je parle français. »

Son accent était très fort. On aurait dit un imitateur comique, mais je n'avais pas du tout envie de rire.

Celui qui était resté assis se mit à parler, en américain.

« On me dit que ce n'est pas le même garçon... Ton ami s'est sauvé sur le Manhattan Bridge. Il a roulé ces deux idiots. »

Les deux idiots ne pouvaient pas comprendre, mais ils ne m'avaient pourtant pas pris pour Pierre. Un bonnet de marin bleu, ça ne se confond pas avec une casquette jaune !

« Il faut que tu m'expliques qui vous a envoyé fouiller chez Muffins Administrators, *dit l'homme maigre.*

— Je ne comprends pas ce que vous voulez dire, monsieur.

— D'où viens-tu ? Où habites-tu ?

— Nareuil-sur-Bièvre... Je suis français. Nous sommes en voyage scolaire. Nous sommes arrivés ce matin à New York. Je vous jure que je ne comprends rien du tout. »

Il eut l'air perplexe et se mit à discuter avec l'autre, qui se leva à son tour. Celui-ci était plus petit, plus gros, plus vieux et très bien habillé lui aussi. Pendant qu'ils palabraient ainsi, j'observai le salon. Les canapés et les fauteuils étaient recouverts de tissu rose, avec plein de coussins et de peluches. Les tableaux représentaient des danseuses en tutu et des personnages en haut-de-forme. Ça ressemblait au décor des vieux films américains en couleurs des années cinquante, mais tout était neuf et il y avait tout de même un téléviseur, un magnétoscope et une chaîne hi-fi ultramodernes. Je me demandai qui habitait cette maison dont le style ne correspondait pas du tout à ces personnages.

J'en eus bientôt l'explication quand une grosse femme blonde en robe de chambre vert pomme apporta un plateau avec des verres et des bouteilles. Elle servit tour à tour chacun des hommes et m'adressa un sourire au passage. Le moustachu et le gros chauve restèrent à l'entrée du salon, leur verre à la main. Ils avaient l'air d'obéir aux autres et d'attendre des consignes.

Il était évident que tous ces gens ne savaient pas quoi faire de moi. Pierre avait dû commettre un acte qui expliquait cette poursuite. Ils l'accusaient d'avoir fouillé chez eux, à un endroit dont je n'avais pas retenu le nom. Peut-être leur avait-il volé quelque chose... Pourtant Pierre n'est pas un voleur. Il a certainement des tas de défauts, mais pas celui-là. Et qui serait assez bête pour voler un objet à New York au cours d'un voyage scolaire ?

L'homme maigre but une gorgée de son verre et revint vers moi.

« Tu vas rester tranquille ici pendant un moment avec la dame. Après, tu rentres chez toi, à l'hôtel avec tes amis. Et tu oublies tout. Tu ne nous as jamais vus. C'est ton intérêt. Mais tu pourras dire à ton copain qu'il a flanqué une grosse pagaille ! »

Il parla ensuite au moustachu, qui sortit de la pièce et revint en compagnie de la grosse femme en robe de chambre verte. Celle-ci me prit par la main et m'emmena dans une chambre du premier étage de la maison – j'avais tout de suite compris que nous étions dans une maison et non dans un appartement.

« Vous parlez français, madame ? demandai-je.

— Un peu. Et toi, tu parles anglais ? »

À nous deux, en mélangeant des mots anglais et français, on arrivait à peu près à se comprendre. Je lui expliquai que j'appartenais à une classe en voyage scolaire et que je n'avais rien fait de mal. Elle m'écouta en hochant la tête.

La chambre était meublée d'un lit, d'une commode et d'une chaise. Elle ne paraissait pas habitée.

« Voilà, tu n'as qu'à te reposer. Je te dirai quand tu pourras partir. J'appellerai un taxi et tu rentreras chez toi. Il ne faut pas avoir peur. Mais n'essaie pas de te sauver ni de regarder par les fenêtres. Je ne sais pas ce qui s'est passé, mais tout ça ne te concerne pas. Ne raconte rien à personne et tu n'auras pas d'ennuis. Tu pourras continuer à visiter New York avec ta classe demain. D'accord ?

— D'accord », dis-je.

Je n'avais aucun intérêt à la contredire...

« Tu veux peut-être manger ou boire quelque chose ? Tu as eu froid dehors. Un lait chaud ? Un Coca ? »

Je choisi le Coca. Je déteste le lait.

Elle quitta la chambre et referma la porte à clé derrière elle. J'étais enfermé. Bien entendu, comme vous pouvez vous en douter, je me précipitai pour regarder par la fenêtre. J'écartai les rideaux. Hélas, il y avait des volets derrière les vitres et je craignais de faire du bruit en ouvrant la fenêtre. La femme allait revenir d'une minute à l'autre. C'était trop risqué.

Elle resta absente plus longtemps que je ne le pensais. J'aurais eu le temps d'ouvrir la fenêtre. Je regrettai de ne pas l'avoir fait. Elle s'était changée et portait un gros pull-over et un jean dans lequel elle était boudinée. Conclusion : elle avait l'intention de sortir, peut-être de quitter la maison, ce qui me donnerait une chance de m'échapper...

Je pris le Coca et la remerciai poliment, sans lui poser

de question car j'avais la certitude qu'elle ne répondrait pas. Elle défit le lit et m'invita à m'allonger.

« Tu devrais dormir un peu, comme ça tu trouveras le temps moins long. »

Je m'assis sur le bord du lit et bus le Coca. Il avait un drôle de goût. Elle m'observa, me sourit, sortit de la chambre à reculons et m'enferma à double tour. J'allai plaquer mon oreille contre la porte. Quand j'entendis grincer les marches de l'escalier, je retournai devant la fenêtre. C'était un modèle qu'il fallait soulever. Ça demandait de la force. Je crus qu'elle était coincée et que je n'y arriverais pas, puis soudain, la vitre glissa avec facilité. Il suffisait de comprendre le système. Ensuite, je retirai la barre de fer qui bloquait les volets et entrebâillai les battants, légèrement seulement, de crainte qu'on me voit de l'extérieur.

Cette prudence n'était pas de trop : le moustachu passait juste en dessous de la fenêtre ! Il portait un objet dans ses bras : un ordinateur qu'il alla ranger dans le coffre d'une voiture – la Buick noire ! Les trois autres hommes le suivaient, avec des valises et des cartons, puis la femme. Tous avaient enfilé des manteaux. Ils firent ainsi plusieurs voyages avec des bagages, puis trois d'entre eux montèrent dans la Buick et les trois autres, dont la femme, dans la voiture blanche. Ils démarrèrent aussitôt.

Je me demandai s'il restait quelqu'un dans la maison. Ça n'en avait pas l'air car on n'entendait pas le moindre bruit. J'essayai d'ouvrir la porte, qui résista. Elle parais-

sait solide. Je retournai à la fenêtre, pour essayer de voir s'il y avait moyen de sortir par là sans me casser la figure. Mais, lorsque je voulus ouvrir les volets plus grand, je ressentis une impression étrange. La tête me tournait, mes yeux se fermaient irrésistiblement. Je sentais mes jambes faiblir, mes muscles se transformer en coton. J'étais beaucoup trop fatigué pour me livrer à des acrobaties...

Je retraversai la pièce en titubant et me laissai tomber sur le lit, à plat ventre. Dès que je fus allongé, je réalisai que je ne pouvais plus bouger. J'étais totalement paralysé. Ma dernière pensée fut pour le Coca que je venais de boire. Son goût bizarre me restait dans la bouche. Je compris que la femme m'avait empoisonné, puis je perdis connaissance.

16

Retour à l'Empire State Building

Dents-Blanches me salua en inclinant la tête.

« *Hi !*

— Je te présente l'agent fédéral Isaac Turner, dit Helen. Isaac ne parle pas français. Il me semble que vous vous êtes déjà rencontrés.

— Dans l'ascenseur... Mais je ne comprends rien du tout.

— Nous t'expliquerons tout cela un peu plus tard.

— Où allons-nous ?

— Je crois savoir que tu t'intéresses beaucoup à l'Empire State Building. »

Helen se moquait-elle de moi ?

« Je suis fatigué. Je voudrais retrouver ma classe et aller me coucher.

— Il va falloir patienter encore un peu, Pierre. Ça ne sera pas très long si tu y mets du tien... »

Que voulait-elle dire par-là ? Je me tournai vers Dents-Blanches. Il me sourit.

« *No problem. Be quiet !*[1] »

Helen me montra une enseigne lumineuse qui représentait un dragon.

« Regarde ! Nous sommes dans Chinatown, le quartier chinois. Tu savais qu'il y avait un quartier chinois à New York City ? »

Je haussai les épaules, irrité par cette question stupide. Tout le monde sait qu'il y a un quartier chinois à New York ! Elle me traitait comme un enfant de huit ans. Je comprenais très bien qu'elle cherchait à m'occuper pour me faire passer le temps.

« Je l'ai vu à la télé, dis-je. Il y en a un aussi à Paris. »

Helen comprit peut-être qu'elle m'avait vexé. Elle changea de sujet et se mit à me parler de ses voyages en France. Ça ne m'intéressait pas du tout, mais je fis semblant de l'écouter poliment.

Après le quartier chinois, nous avons remonté de larges avenues désertes. Il n'y avait plus un chat dehors.

« Tu vois, ce bâtiment, sur notre gauche ? C'est Grand Central, la principale gare de New York. »

Elle voulut passer son bras autour de mon épaule. Je la repoussai.

« Ça ne m'intéresse pas. Je suis fatigué !

---

1. « Pas de problème. Reste calme. »

— Je pensai que tu avais regardé le plan de New York. Nous sommes presque arrivés. »

Je reconnus en effet bientôt la Cinquième avenue et la masse imposante du gratte-ciel. Cette vision me fit frémir. Elle me rappelait de bien mauvais souvenirs.

Helen devina que je ne me sentais pas à l'aise.

« Cette fois, tu n'as rien à craindre, Pierre. Nous sommes avec toi et les hommes qui ont voulu t'enlever ne reviendront certainement pas cette nuit. »

Les deux autres voitures, celles où se trouvaient Victor et Nicole Poron, avaient disparu.

« Et mes amis ?

— Ils vont rentrer à l'hôtel. Nous n'avons pas besoin d'eux. Tu les rejoindras bientôt. »

Les femmes portoricaines faisaient toujours les cent pas devant l'entrée de la tour avec leurs pancartes. On n'apercevait même pas le bout de leur nez. Helen et Isaac m'entraînèrent à l'intérieur du building sans un regard pour les manifestantes.

Les vigiles eux aussi étaient à leur poste. Dents-Blanches s'avança vers eux, leur montra sa carte, puis me désigna du doigt et leur parla. Je ne pouvais pas comprendre ce qu'il leur disait, mais j'ai l'impression qu'il les engueulait pour m'avoir laissé passer.

Dans l'ascenseur, aucun de nous trois ne prononça une parole. Sur le palier du 99e étage, je constatai que la lumière était allumée dans l'entrée de *Muffins Administrators.* Dents-Blanches ouvrit la porte sans utiliser de carte magnétique. Un homme lisait le journal assis dans un canapé. À notre arrivée, il le replia et se leva. Ils se mirent à parler tous les trois en américain, comme si je n'étais pas là, puis Helen m'emmena dans les bureaux, où un autre type, en bras de chemise, avec ses manches roulées sur ses avant-bras, était en train de pianoter sur le clavier d'un ordinateur.

« Voici notre génie, dit Helen. Il va nous débrouiller ça. »

Je me retournai, pour voir qui était le génie en question, mais il n'y avait personne derrière moi. C'était donc de moi qu'elle parlait.

« Parfait, mon gars, dit l'homme en bras de chemise, je te laisse la place. »

Celui-là avait un très fort accent. J'avais du mal à le comprendre.

« Installe-toi, Pierre, dit Helen. C'est bien l'ordinateur sur lequel tu as trafiqué...

— Trafiqué ! Je n'ai rien trafiqué du tout ! protestai-je.

— Enfin, tu l'as utilisé, oui ou non ? »

J'ignorais ce qu'ils voulaient et ce que je risquais en avouant que j'avais joué avec ce micro pendant un bon moment. Je préférai mentir.

« Il était déjà allumé. »

Hélène soupira.

« On s'en fiche de savoir s'il était déjà allumé ou non ! Tu as bien touché à cet ordinateur ?

— Juste un peu.

— Juste un peu, O.K. ! Nous n'allons ni te punir

ni te dénoncer à tes professeurs. Nous voulons seulement connaître avec précision les manœuvres que tu as effectuées. Tu t'en souviens ?

— Pas bien. Je suis vraiment fatigué. »

Elle me prit par les épaules.

« C'est très important de te souvenir. Ça nous aidera peut-être à retrouver ton ami.

— Mon ami ? Hervé ?

— Oui, ton ami Hervé. Il t'a suivi avec tes autres amis dans le taxi. Ensuite, ils l'ont vu descendre dans le métro et se lancer à ta poursuite. Personne ne sait où il est passé. S'il s'est fait repérer par les gens qui t'ont trouvé ici, ils l'ont peut-être enlevé lui aussi...

— Mais enfin, vous étiez avec eux. Vous les connaissez, vous aussi !

— Ce n'est pas si simple que ça. Nous t'expliquerons plus tard. Pour le moment, il faut que tu essaies de te souvenir des opérations que tu as effectuées sur cet ordinateur. Fais un effort, Pierre, c'est très important. »

Je fermai les yeux et me concentrai, mais c'était très difficile de me souvenir de ce que j'avais fait. J'avais l'impression que des siècles s'étaient écoulés depuis que j'avais pianoté sur ce clavier, j'étais complètement épuisé et, à vrai dire, j'avais cherché un peu au hasard parmi les programmes et les jeux...

« Nous allons essayer une méthode, dit Helen. Éteins l'ordinateur. »

Ils étaient tous les trois penchés sur moi et guettaient chacun de mes gestes.

« Bien, maintenant, rallume-le, et essaie de faire exactement la même chose que la première fois...

— Il me semble que je me suis connecté sur Internet », dis-je.

Je cliquai sur la petite mappemonde symbolisant Internet.

« Et ensuite ? demanda l'homme en bras de chemise.

— Ne le bouscule pas ! dit Helen. Laisse-le agir à sa façon.

— Je crois que j'ai cherché des jeux. »

Cette information parut les décevoir.

« Tu es sûr que tu n'as rien fait d'autre ?

— J'ai voulu envoyer un message au C.D.I. de mon collège, mais ça n'a pas marché. Je me suis peut-être trompé dans l'adresse... »

Ils se mirent tous les trois à parler en américain. À mon avis, ils n'étaient pas d'accord entre eux.

« Si vous m'expliquiez, peut-être que je pourrais vous aider pour de bon...

— Mes collègues pensent que nous perdons notre temps, que tu n'arriveras à rien et qu'il vaut mieux te laisser rentrer à ton hôtel et dormir, dit Helen.

— C'est une bonne idée... »

Je regrettai aussitôt ce que je venais de dire en pensant à Hervé. Il avait quand même pris des risques pour m'aider. Je ne pouvais pas l'abandonner maintenant qu'il se trouvait dans la même situation.

« Et Hervé ?

— Nous le retrouverons sans doute d'une autre façon, mais ça prendra un peu plus de temps.

— Ils ne vont pas lui faire du mal ? Vous les avez vus : s'ils pensent qu'il leur cache quelque chose d'important, ils risquent tout de même de le brutaliser... »

La paire de gifles que m'avait flanquée Cravate-Rouge me revint en mémoire. Ce souvenir me mit en rogne. Je n'allais tout de même pas laisser Hervé aux mains de cette brute.

« Je vais essayer de trouver ce que j'ai fait, mais il faut tout m'expliquer.

— Tout, ce serait un peu long... Je vais te résumer l'affaire. *Muffins Administrators* est ce qu'on appelle une société écran. Elle sert à dissimuler toutes sortes de trafics, à recycler de l'argent, etc. Tu sais comment ça se passe aujourd'hui : tout se fait sur ordinateur, les fonds sont virés d'une banque à l'autre, à Singapour, aux Bahamas, au Panama ou au Luxembourg par courrier électronique. Les gens qui travaillent ici sont très malins. Dernièrement, ils ont ajouté une autre activité à la liste de leurs spécialités : le pillage informatique des comptes en banque. Ils rentrent dans l'ordinateur d'une banque, chargent un logiciel mouchard qui leur transmet les mouvements de fonds... Comme je suppose que tu n'y connais rien en comptabilité, il est inutile que je t'explique les détails. Tu saisis le principe ?

— Oui, mais vous...

— Attends, j'allais y venir ! Comme tous les gens très forts qui gagnent beaucoup d'argent très vite et très facilement, ceux-là sont un peu trop sûrs d'eux. Ils ont commis des erreurs. Nous avons réussi à identifier *Muffins Administrators,* mais sans avoir les preuves nécessaires pour les arrêter. Ce genre de preuves n'est pas facile à obtenir et, s'il n'y a pas de preuves, la justice ne les condamnera pas. C'est même nous qui serons peut-être condamnés pour les avoir dérangés et arrêtés à tort. Ils disposent bien sûr d'une couverture : une activité légale qui leur permet de justifier l'existence de cette société. Nous avons donc décidé de les surveiller, mais les écoutes téléphoniques et l'observation de leurs messageries électroniques n'ont rien donné. Je me suis donc fait embaucher comme secrétaire, il y a huit mois de cela. Pour gagner leur confiance, je leur ai fait croire que j'avais commis moi-même des actes illégaux. Afin de ne pas éveiller leurs soupçons, j'ai fait en sorte qu'ils le découvrent eux-mêmes, en laissant traîner des documents...

« Mais je n'ai pas le temps de tout te raconter en détail, ce serait trop long. Bref, ils m'ont admise dans leur bande et m'ont révélé un certain nombre de choses, mais pas l'essentiel : rien qui permette de faire la preuve de leurs trafics les plus importants. Et moi, j'ai suivi une formation informatique de base, mais je ne suis pas une spécialiste. J'ai donc laissé la porte des bureaux ouverte pour que Isaac puisse entrer sans difficultés, examiner les ordinateurs, enregistrer certains dossiers qui nous semblent intéressants, vérifier que nos micros n'ont pas été repérés... Nous disposons d'un bureau à l'étage d'en dessous pour les surveiller. C'est pourquoi tu as croisé Isaac dans l'ascenseur... »

Tout s'éclairait d'un seul coup : le rôle d'Helen, celui de Dents-Blanches. Dire que j'avais deviné dès notre première rencontre qu'il appartenait au F.B.I. !

« Je m'en doutais, dis-je.

— De quoi donc ?

— Que votre collègue Isaac est un agent du F.B.I. »

Elle se mit à rire.

« Et comment donc as-tu deviné ça, petit malin ? Il t'a laissé voir sa carte ?

— C'est son allure. Il ressemble aux agents du F.B.I. qu'on voit dans les films !

— Je lui dirai, mais je ne sais pas si ça va vraiment lui faire plaisir... Pour le moment, nous n'avons pas le temps de discuter du look d'Isaac. Il faut absolument que tu retrouves la mémoire et que tu nous indiques les manipulations que tu as effectuées.

— Et avec tous vos moyens, vous avez besoin de moi pour les coincer ? Vous ne pouvez pas y arriver tout seuls ?

— Nous y serions sans doute parvenus tôt ou tard. Le problème est que tu as tout flanqué par terre, mon cher petit ami ! Ce n'est pas ta faute et nous ne t'en voulons pas, Pierre, mais ton intervention a bousillé des semaines et des semaines de travail. En quelques minutes, tu as déclenché sur l'ordinateur quelque chose qui les a alertés. Tu es certainement entré sans le savoir dans un fichier clé, ou bien tu as lancé involontairement un message sur leur réseau. Sans doute qu'ils avaient mis en place une sorte de signal d'alarme, au cas où un intrus pénétrerait dans des secteurs sensibles... »

Signal d'alarme... Ça me rappelait l'arrêt du métro sur le pont, mais aussi...

« Je me souviens ! criai-je. Un message s'est mis à clignoter sur l'écran. J'ai cru que j'avais planté le logiciel. Et aussitôt après il y a eu plusieurs appels téléphoniques...

— Exact, dit Helen. Ils ont téléphoné pour essayer de savoir qui était en train de trafiquer leur ordinateur, puis ils ont envoyé ces deux crétins. Je me trouvais avec eux dans la Buick, quand leur patron les a appelés et leur a ordonné d'aller faire un tour dans les bureaux de *Muffins Administrators*. Sur quel programme trifouillais-tu quand ce message est apparu ?

— Un jeu, il me semble.

— Ça m'étonnerait qu'il s'agisse d'un jeu, mais essaie tout de même de le retrouver. »

La mémoire me revenait petit à petit, et même le nom du jeu : *Warriors*[1]. Je fouillai dans le disque dur, qui contenait des centaines de programmes et de

1. Guerriers.

fichiers, et réussis à faire apparaître une icône qui représentait un casque avec des cornes et une épée. Je cliquai sur cette icône. Tout cela très vite, sans me tromper une seule fois.

L'homme en bras de chemise hocha la tête, d'un air admiratif.

Ensuite, il y avait le choix entre plusieurs versions du jeu : *Warriors1, Warriors2,* etc. Moi, je m'étais d'abord baladé dans *Warriors1,* qui était assez facile, puis dans *Warriors5,* plus rapide, qui exigeait de meilleurs réflexes et l'habitude de ce genre de logiciel pour éviter les pièges. J'entrai donc dans *Warriors5* où je retrouvai immédiatement les monstres couverts d'écailles, les guerriers armés de haches et le labyrinthe souterrain du château fort. L'excitation commençait à me gagner. Je ne sentais plus ma fatigue.

Les premiers pièges étaient relativement faciles à éviter. Je parvins donc à tuer deux monstres, à en désintégrer un troisième et à déplacer le personnage jusqu'à un carrefour où il fallait choisir entre huit portes toutes semblables. Sans hésiter, je poussai celle qui se trouvait à la gauche de l'écran. Deux herses s'abattirent, l'une devant moi, l'autre derrière. J'étais coincé ! C'était pourtant le même itinéraire que j'avais emprunté quelques heures plus tôt, j'en étais absolument sûr ! Mais le logiciel avait la capacité de modifier ses pièges d'une partie à l'autre, de la même façon qu'un logiciel d'échecs ne joue pas toujours les mêmes coups face aux mêmes ouvertures. Je ne l'ignorais pas, pourtant ce changement me coupa mes moyens pendant quelques secondes. Une énorme dalle de pierre se détacha du plafond avant que j'ai eu le temps de réagir et mon personnage fut écrasé. J'avais perdu la partie...

Une fenêtre s'ouvrit à l'écran.

NEW GAME ?

Je consultai Helen et ses collègues du regard. Ils étaient déçus. Et moi j'étais vexé d'avoir perdu !

« J'ai l'impression que tout ça ne nous mène à rien, dit Helen. Essaie encore une fois, et ensuite nous te reconduirons à l'hôtel. »

Je cliquai donc sur *New game.*

Je parvins très vite jusqu'au carrefour après avoir éliminé les trois premiers monstres. Quant à la dalle de pierre, je savais comment l'éviter : il fallait placer le personnage dans un angle pour qu'il ne soit pas écrasé. Ensuite, il lui suffisait de détruire la herse avec son désintégrateur. La nouvelle variante du jeu était vicieuse : l'angle de survie avait changé de place. Mais je m'y attendais et il était possible de trouver cet angle en observant la forme de la dalle juste avant sa chute. Le tout était de placer le personnage au bon endroit avant la chute de la dalle...

Une fois franchi cet obstacle, je rencontrai un sphinx qui me posa trois questions en anglais. Helen s'empara de la souris et cliqua, elle connaissait les réponses par cœur !

« Ce n'est pas pareil que la première fois, dis-je.

NEW GAME

— Continuons tout de même ! »

Ses yeux brillaient, et ceux de ses deux collègues aussi. Peut-être qu'ils s'amusaient...

Il me fallut encore franchir un pont-levis, mettre en fuite une créature ailée, subir l'attaque d'une horde de lézards géants. Tous ces monstres semblaient aussi vivants que s'ils s'étaient promenés dans le bureau ! Ce jeu était vraiment le plus extraordinaire que j'ai eu l'occasion d'utiliser.

Toutes ces péripéties me conduisirent dans une salle carrée au fond de laquelle un coffre était placé sur un autel de pierre, encadré par deux géants en armure. Le coffre au trésor ! C'était dans cette pièce que j'étais tombé dans une trappe, avant même d'affronter les guerriers.

« Peut-être que l'information que nous cherchons est dans ce coffre ! dit Helen. Réfléchis bien, Pierre, ne commets pas d'erreur ! »

Je déplaçai mon personnage le long des murs, prudemment, en frappant le sol devant lui avec une lance, pour déclencher le mécanisme de la trappe sans qu'il y tombe. Mais aucune trappe ne s'ouvrit. Les deux géants armés de haches se mirent à faire des moulinets devant le coffre au trésor. Je tentai de les désintégrer, mais une fenêtre m'indiqua que mon personnage avait épuisé ses munitions et que les deux guerriers avaient été trempés dans un bain qui les rendait invulnérables. Sauf à un point précis de leur corps...

Je reculai, pour me donner le temps de réfléchir. Les

deux guerriers géants reprirent leur place, figés de chaque côté du coffre.

Le talon d'Achille ! C'était une des rares choses que j'avais retenues des cours d'histoire sur l'Antiquité. Achille est un guerrier grec invulnérable, sauf si on réussit à l'atteindre au talon. Et c'est ainsi qu'il se fait tuer bêtement par une flèche pendant la guerre de Troie.

Essayons donc le talon !

J'examinai la salle du coffre. Divers objets étaient accrochés aux murs : des flambeaux, des boucliers, des masques, un arc et un carquois. Je pris l'arc, le bandai et dirigeai la flèche sur le talon du guerrier de gauche. Il s'écroula immédiatement, mais l'autre quitta sa place pour venir au-devant de mon personnage ! Je ne m'attendais pas à cette réaction... Avant d'avoir pu tirer une autre flèche, il me fallut précipitamment me déplacer pour ne pas être décapité d'un coup de hache. Je reculai, reculai encore, jusqu'à quitter la salle du coffre. Fort heureusement, le guerrier ne me poursuivit pas plus loin. Pourtant, j'étais bloqué : je ne savais plus comment procéder, car le jeu modifiait sans cesse ses défenses et ses pièges !

« Bill va prendre le relais », dit Helen.

Bill était le technicien en bras de chemise. Je lui laissai ma place et l'observai. Ça devenait passionnant. Pourtant Bill était trop sûr de lui : dès qu'il eut pénétré dans la salle du coffre, il se fit couper en deux par le guerrier qui s'était caché derrière la porte !

Il jura entre ses dents et cliqua sur *New game.* Cette fois, sa démonstration fut éblouissante : il trouva un raccourci qui lui permit de revenir immédiatement à l'entrée de la salle du coffre, sans rencontrer le moindre piège, comme s'il avait tout enregistré dans sa tête pendant que je me bagarrais avec les monstres et les guerriers. Ce type devait avoir un véritable ordinateur sous le crâne !

Quand il ouvrit la porte de la salle du coffre, il n'y avait pas deux, mais quatre guerriers pour surveiller l'autel. Le logiciel avait doublé la garde...

Je m'attendais à ce que Bill se fasse hacher, mais il abattit les quatre guerriers l'un après l'autre avec son désintégrateur. Il n'avait pas épuisé ses munitions et ses adversaires ne semblaient pas invulnérables ! Ce n'était pas juste, il avait beaucoup plus de chance que moi.

Bill avança donc jusqu'au coffre. Pour l'ouvrir, il fallait venir à bout d'un cadenas à combinaison chiffrée. Bill désintégra encore le cadenas. À mon avis, ce n'était pas une façon très élégante de jouer.

Le coffre était vide !

Je ne pus m'empêcher de rire. Nous nous étions donné beaucoup de mal pour rien...

Bill ne me sembla pourtant pas découragé. Il se tourna vers moi et me posa une question, en américain. Hélène traduisit.

« Il veut que tu lui expliques avec précision ce qu'il

y avait sur l'écran quand tu es tombé dans ce piège et que tu as planté l'ordinateur. »

Je décrivis donc la trappe, la fosse, les pics et les têtes de mort, tout au fond.

« O.K. », fit Bill, après avoir écouté la traduction d'Helen.

Il revint en arrière, jusqu'au carrefour aux six portes, et les essaya l'une après l'autre, très vite. Ce type-là était incroyablement doué. On sentait qu'il devinait toutes les ruses du logiciel au fur et à mesure. Quand il eut poussé la quatrième porte, il me sembla reconnaître le décor du souterrain.

« Attention ! » m'écriai-je.

Bill immobilisa son personnage.

« Attention, quoi ? demanda Helen.

— C'est par-là qu'il y a la trappe avec les pics, où je suis tombé. J'en suis presque sûr. »

Mais, au lieu d'avancer prudemment, Bill se précipita dans le couloir. Et en plein dans le piège ! Le personnage dégringola dans la fosse en tourbillonnant... À la dernière seconde, Bill réussit à s'accrocher à une sorte de corniche, comme je l'avais fait moi-même. Et c'est alors que tout le mécanisme se déclencha : la fenêtre clignotante, le *tiit-tiit,* le blocage de l'ordinateur.

Bill se renversa en arrière et croisa les bras, la mine réjouie.

« J'ai l'impression qu'il a trouvé quelque chose », dit Helen.

Bill se mit alors à pianoter à toute vitesse. Le jeu disparut et fut remplacé par toutes sortes de chiffres, de tableaux, de graphiques et de signes mystérieux, mais il paraissait se déplacer dans cet univers avec encore plus de plaisir que dans le jeu.

Une imprimante se mit à ronronner. C'était un modèle très rapide. Les feuilles jaillissaient à une vitesse incroyable. Bill les prit et éteignit l'ordinateur.

« Je crois que nous avons ce que nous cherchions, dit Helen.

— Et mon copain Hervé ?

— Nous savons où ils l'ont emmené et ils ne vont pas s'encombrer d'un enfant. À mon avis, il n'est pas en danger. *Let's go.* On y va ! »

À sa façon de parler, il me sembla que c'était le chef du groupe. Je compris aussi qu'elle m'avait menti : elle savait déjà où se trouvait Hervé, et elle était plus pressée de sortir des preuves de l'ordinateur que de délivrer mon copain ! Elle avait sans doute ses raisons... Ce qui expliquait aussi que nos petites manipulations n'aient pas provoqué le retour des gangsters, qui se savaient désormais poursuivis. N'empêche que j'étais très déçu. Moi qui commençais à la prendre pour une héroïne de film, je découvrais qu'elle m'avait manipulé pour obtenir ce qu'elle voulait. Même la mère Lescure n'aurait pas fait ça : elle était vache, mais pas hypocrite.

« Eh bien, tu rêves, tu n'as pas l'intention de dormir ici ou de faire une nouvelle partie ? »

Sa voix et son expression aussi avaient changé. Elles étaient beaucoup plus rudes. Fini le numéro de charme. Helen avait dû se conduire de la même façon avec les hommes de la Buick pour leur faire croire qu'elle était leur amie...

Son regard croisa le mien. Elle devait tout de même être très forte, très psychologue, parce que je crois qu'elle devina d'un seul coup tout ce qui se passait dans ma tête. De petits plis de mécontentement s'inscrivirent aux coins de ses lèvres et sur son front. Ça la faisait paraître plus vieille, moins jolie, mais plus humaine. Je sentis qu'elle était un peu gênée. Mais cette expression s'effaça très vite et elle redevint l'agent fédéral Helen qui commandait ses hommes avec assurance et autorité.

Nous quittâmes le bureau. Elle passa la dernière, pour verrouiller la porte avec sa carte magnétique. Au moment de monter dans l'ascenseur, elle m'accorda tout de même un sourire et un clin d'œil.

« Allons chercher ton ami. En route pour la dernière partie ! »

17

L'assaut

La fin de cette histoire se passa exactement comme dans les films. Je me suis endormi pendant le voyage, mais je sais que nous sommes sortis de New York. Quand nous sommes arrivés devant la maison, il y avait déjà un nombre incroyable de flics en civil et en uniforme. Ça grouillait. Il en sortait de partout. Certains avaient des fusils à pompe, d'autres des pistolets-mitrailleurs, et une équipe spéciale portait des masques à gaz, des gilets pare-balles et des boucliers. À se demander si je n'étais pas revenu dans un jeu vidéo.

À côté de toute cette armée, la maison paraissait pourtant bien paisible. Elle n'avait rien d'une forteresse. C'était une maison en bois, toute blanche, avec des colonnes, un auvent, un toit d'ardoise et des volets verts. Elle se trouvait au milieu d'un petit parc. Rien ne bougeait. Moi, on m'avait interdit de descendre de la voiture, mais, de ma place, je pouvais voir tout ce qui se passait.

L'équipe spéciale, celle qui portait des masques à gaz et des boucliers, s'est d'abord avancée. Puis Helen a pris un micro qui était branché sur un haut-parleur fixé sur une voiture. Je suppose qu'elle a ordonné aux gens de la maison de se rendre. Mais il ne s'est rien passé, personne n'est sorti. Les policiers se sont dispersés. Quelques-uns ont disparu de mon champ de vision, mais j'en ai vu deux qui enfonçaient une fenêtre à coups de hache – un peu comme les guerriers du jeu. Le seul bruit qu'on entendait était celui du bois et du verre qui éclataient.

Les deux policiers sont passés par la fenêtre. Tout ça n'a pas duré très longtemps, pas plus de cinq minutes. Puis tout d'un coup, un homme est apparu à une fenêtre du premier étage et a crié quelque chose. Helen, Isaac et plusieurs autres policiers en civil se sont alors avancés vers la maison.

Tous y sont entrés, et il a fallu attendre un bon moment avant qu'ils n'en ressortent. Je suppose qu'ils fouillaient partout. Mais, d'après ce que j'ai compris ensuite, tous les gangsters étaient déjà partis sans les attendre... Dents-Blanches est revenu le premier. Il portait quelqu'un dans ses bras. Sur le moment, je crus que les occupants de la maison avaient laissé des pièges et qu'un policier avait été blessé, mais Isaac s'approcha et je vis qu'il s'agissait d'Hervé ! Mon copain ne bougeait pas.

Je me précipitai hors de la voiture.

« Il est mort ?

— Non, dit Helen, qui arrivait derrière son collègue, il dort. On l'a drogué, mais ce n'est pas grave. Il sera peut-être un peu pâteux quand il se réveillera demain matin. En route, les enfants, pour vous c'est terminé. On rentre. »

Elle allongea Hervé sur la banquette arrière, à côté de moi, et donna un ordre au chauffeur.

Pendant le voyage, j'essayai de lui poser des questions, mais elle me fit très vite comprendre que cette affaire ne me regardait plus du tout et qu'elle n'avait pas envie d'en parler avec moi. Et pour bien montrer que je ne l'intéressais plus, elle se mit à discuter en américain avec le conducteur.

Je ne peux même pas vous raconter mon arrivée à l'hôtel ni vous dire quelle tête faisaient les profs, parce que le sommeil s'est emparé de moi presque tout de suite dans la voiture. Je me suis écroulé contre Hervé et je ne me suis réveillé que le lendemain après-midi, dans mon lit de l'hôtel Lexington.

18

Une occasion manquée

Le reste du voyage s'est déroulé tout à fait normalement. Nous avons même eu un peu de chance car le thermomètre s'est mis à remonter. Nous avons eu un rayon de soleil le jour où nous avons visité Central Park et le musée Guggenheim.

Les profs ont eu si peur qu'ils n'ont même pas engueulé Pierre. Lui-même n'avait aucune envie de recommencer. Il était vacciné. D'un accord commun, nous avons décidé de ne pas en parler au collège. Si le directeur de l'établissement ou des parents avaient appris une histoire pareille, ç'aurait fait un foin terrible. Peut-être même que La Baleine risquait de se faire renvoyer de l'Éducation nationale. La plupart des élèves n'étaient pas au courant : ils savaient juste que Pierre avait manqué le dîner, le soir de l'arrivée. Dans le coup, il n'y avait que Victor, Nicole Poron, Pierre et moi. Et encore Victor et Nicole ne savaient pas tout. J'ignore s'ils ont mis leurs parents au courant.

Toujours est-il que, les premiers jours qui suivirent notre retour, les trois profs qui nous avaient accompagnés à New York étaient très nerveux. Ils redoutaient une indiscrétion. Puis, peu à peu, cette affaire a été complètement oubliée. Nous n'en parlions même plus entre nous. Et voilà qu'un jour, après la cantine, Pierre me prend à part.

« Hervé, j'ai quelque chose à te montrer. »

Nous allons nous asseoir dans un coin de la cour, à l'écart des autres, et il sort un classeur de son sac. Il me tend le classeur, je l'ouvre...

Le travail qu'il avait fait était vraiment impressionnant. Tout était tapé sur ordinateur. Impeccable.

« Avec le correcteur, il ne doit pas y avoir trop de fautes... »

Il y en avait tout de même pas mal. Des fautes de temps, de ponctuation... Tout ça, le meilleur logiciel ne peut pas encore le corriger. N'empêche que je n'aurais jamais cru Pierre capable de rédiger si bien une histoire aussi longue.

« Les détails, tu les as eus comment ? demandai-je.

— Quels détails ?

— Sur le gang des pillards informatiques et sur le recyclage de l'argent de la drogue... Comment sais-tu qu'ils ont été arrêtés ensuite ?

— Pas tous... Ils n'ont pas encore retrouvé les chefs.

Je l'ai appris par les journaux américains, sur Internet. Mon oncle m'a aidé à trouver les articles et à les traduire. Et j'ai fait des sacrés progrès en anglais ! »

C'était vrai. Même La Baleine n'en revenait pas. Quand je vous disais que mon copain Pierre est très intelligent !

« Qu'est-ce que tu veux faire de ça ? Le montrer à Lescure ?

— Tu es fou. Surtout pas. Je voulais te demander ton avis. Tu crois que j'ai oublié des trucs ?

— Peut-être, je ne sais pas. De toute façon, c'est déjà très long. Tu as dû passer des jours là-dessus... Alors, qu'est-ce que tu comptes en faire ?

— Tu me jures de ne pas le répéter ? »

Je jurai, avec une certaine inquiétude. La dernière fois que Pierre m'avait fait promettre le secret, c'était tout de même avant de grimper au 99e étage de l'Empire State Building !

Il fouilla dans sa poche et me tendit une page de journal pliée en quatre. Cette page avait été déchirée dans un numéro de L'Écho de la Bièvre, *le journal de la région. Elle contenait des critiques de livres et de films. Je ne comprenais pas où Pierre voulait en venir, mais il pointa son doigt sur un encadré, tout en bas de la page.*

L'Écho de la Bièvre recherche des correspondants...

« Et alors ?

— Je vais leur présenter mon reportage.

— Tu es cinglé. Nous avons promis aux profs de ne pas en parler. »

Pierre haussa les épaules.

« Ça m'est complètement égal. Je passe en quatrième. L'année prochaine, nous n'aurons pas les mêmes profs. Et maintenant, c'est trop tard. Même si l'histoire est publiée, il ne leur arrivera rien.

— Je n'en suis pas sûr. Le directeur du collège risque de faire une enquête.

— En tout cas, moi, je ne laisserai pas passer une aussi belle occasion. »

Je savais que Pierre rêvait de devenir journaliste. Il commençait bien : les journalistes révèlent souvent des choses sur la vie des gens sans leur demander leur avis. Je n'aurais pourtant pas cru qu'il avait déjà cette mentalité...

« Bon, moi, je vais cet après-midi à L'Écho de la Bièvre. *J'ai pris rendez-vous avec le rédacteur en chef adjoint par téléphone. Il s'appelle Gabriel Bonpoint.*

— Tu as réussi à obtenir un rendez-vous si facilement !

— Je lui ai dit que j'avais des révélations sensationnelles sur le voyage scolaire à New York, pour l'appâter. »

Qu'est-ce que le journaliste avait bien pu imaginer ? En tout cas, Pierre était très malin, j'en avais encore une fois la confirmation.

« Tu viens avec moi ? »

D'un côté, ça m'intriguait beaucoup de voir comment

cette rencontre allait se passer, d'un autre je ne voulais pas que la promesse faite aux profs soit trahie...

« D'accord, j'y vais, mais à une condition.

— Laquelle ?

— Si ça doit être publié dans L'Écho de la Bièvre, *il faut changer tous les noms, y compris celui du collège. »*

Pierre rangea son texte dans son classeur et mit le classeur dans le sac.

« On verra. »

L'après-midi, nous nous sommes donc retrouvés dans le hall du journal, où sont affichés les derniers numéros, des photos d'actualité et des informations sur les événements locaux : les matchs, les concerts, les bals, les concours... L'Écho de la Bièvre *n'est qu'un petit journal régional mais il est lu très attentivement par les gens du pays.*

La secrétaire nous accueillit avec un regard soupçonneux.

« Vous êtes sûrs que vous avez rendez-vous avec M. Bonpoint ? Je ne voudrais pas le déranger pour rien. »

On aurait cru qu'on demandait à rencontrer le pape ou le président de la République.

« Allô, M. Bonpoint, j'ai deux... deux jeunes gens qui prétendent avoir rendez-vous... »

Le bureau de M. Bonpoint ne donnait pourtant pas l'impression qu'il était si important que ça. Tout était en désordre, des piles de journaux et de paperasses s'entassaient sur sa table de travail, sur les sièges, et même par terre. Ça sentait le renfermé, le tabac froid et une odeur de nourriture assez écœurante. Une assiette en carton contenant des restes de pizza traînait sur une pile de dossiers. Lui, il était petit, bedonnant, à moitié chauve, et débraillé.

« Ah, je vois que tu es venu avec un copain. »

Il débarrassa deux chaises, nous invita à nous asseoir et s'installa à califourchon sur la sienne en face de nous.

« Alors, ces révélations sensationnelles ?

— Tout est dans mon reportage », dit Pierre.

Et il lui tendit son classeur.

« Un reportage ? Hum. »

Bonpoint ajusta ses lunettes sur son nez et se mit à feuilleter rapidement le texte de Pierre. À mon avis, il ne pouvait pas vraiment tout lire, il tournait les pages trop vite.

« Ouais, ouais... »

Quand il en arriva à la dernière page, il revint en arrière, s'attarda sur certains passages, puis referma le classeur.

« Ouais, ouais, répéta-t-il. Pas mal du tout...

— Vous allez le publier ? demanda Pierre.

— Il faut présenter ça au concours de nouvelles. C'est le jury qui décidera. Nous publions les trois premiers. Tu as tes chances.

— Mais vous ne comprenez pas ! C'est une histoire vraie. Ça nous est réellement arrivé à New York. D'ailleurs j'ai les preuves ! »

Bonpoint souleva ses lunettes pour dévisager Pierre.

« Les preuves ?

— Oui, tenez ! »

Pierre prit une chemise cartonnée dans son sac et la remit au rédacteur en chef adjoint. Il ne m'avait pas parlé de ça. Je me soulevai, pour voir le contenu de la chemise. J'aperçus un titre de journal, en anglais.

« Tu lis l'anglais ? s'étonna Bonpoint.

— Pas complètement. Mon oncle m'a aidé à traduire. Nous avons imprimé ça à partir d'Internet. »

Bonpoint émit un petit sifflement.

« Internet ? Tu en parles aussi dans ta nouvelle. Tu m'as l'air très branché informatique. Tu es dans l'air du temps. Nous, tu sais, à L'Écho, *on est de la vieille école. On n'en est pas encore là. Et je ne lis pas l'anglais couramment...*

— C'est de l'américain, corrigea Pierre. Ces articles sont tirés du New York Times.

— D'accord, d'accord, mais je ne vois pas en quoi ils constituent des preuves. On parle de vous là-dedans ?

— Non, mais on explique en détail toute la technique des gangsters.

— Tu y as donc puisé ton idée... Et ça, qu'est-ce que c'est ?

— Une lettre personnelle du chef du F.B.I. qui a dirigé les opérations, Helen Tsakalakis.

— Elle a un drôle de nom pour une Américaine...

— Elle est d'origine grecque.

— Et qu'est-ce qu'elle dit là-dedans ?

— Elle me remercie pour ma collaboration et me

souhaite de devenir un grand informaticien et un grand journaliste.

— Sacrée recommandation ! »

Bonpoint ôta ses lunettes, les posa sur son bureau et rendit le classeur à Pierre.

« Le problème, c'est qu'on ne publie pas un article comme ça, pour faire plaisir à cette dame du F.B.I. que nous ne connaissons pas. Un reportage, c'est quelque chose de sérieux. Tout doit être vérifié. Il ne s'agit pas de raconter n'importe quoi. C'est comme ça qu'on perd ses lecteurs.

— Mais, c'est vrai ! » insista Pierre.

Bonpoint leva la main.

« O.K. ! dans ta tête, ça doit être vrai. Ça prouve que tu es un bon écrivain. Un bon écrivain croit à ses histoires, mais une fois que c'est fini, il faut savoir distinguer la fiction de la réalité. Sinon, il y a quelque chose qui ne tourne pas rond. Bon, les gars, je ne m'ennuie pas avec vous, mais j'ai du boulot : toutes mes brèves à boucler... »

Il se leva et nous raccompagna jusqu'à l'escalier.

« Vous ne voulez vraiment pas le publier ? implora Pierre.

— Écoute-moi, soupira Bonpoint, si ça peut te faire plaisir, laisse-moi ton texte, je le relirai à tête reposée. Mais, que ce soit bien clair, je ne te promets absolument rien. »

Au passage, la secrétaire nous jeta un regard torve, comme si on avait volé le temps de son patron.

Une fois dehors, Pierre se mit en rogne.

« Il est nul, nul, nul ! Tu as vu ça ? Il ne comprend pas comment fonctionne Internet et n'est même pas capable de lire un article en anglais. Et il est rédacteur en chef !

— Adjoint seulement.

— Ça ne change rien. C'est un nul. C'est une honte. Je suis écœuré. »

Moi, je dois vous avouer que j'étais secrètement assez satisfait que ça se termine de cette façon et que l'affaire ne soit pas rendue publique. La déception de Pierre me faisait pourtant de la peine.

« L'année prochaine, nous allons relancer notre projet de journal », proposai-je pour essayer de lui remonter le moral.

Il m'envoya promener. Plus rien ne l'intéressait. Il partit de son côté, fâché, sans même me dire au revoir, comme si c'était ma faute que le rédacteur en chef adjoint de L'Écho de la Bièvre *ne l'ait pas pris au sérieux. C'est un gars intelligent, mais il a tout de même un très mauvais caractère...*

Comme vous vous en doutez, il n'a jamais eu de nouvelles de son reportage. Bonpoint ne lui a même pas renvoyé le texte et, chaque fois que Pierre a essayé de l'appeler, il a fait répondre par la secrétaire qu'il était en réunion ou en reportage.

J'ai fini par raconter cette affaire à mes parents. Ils avaient un peu de mal à me croire, mais ils savent que je ne suis ni menteur ni mythomane. L'année suivante, mon père a appris par hasard, par un ami qui travaille dans une maison d'édition, que Bonpoint avait présenté un manuscrit dont la trame ressemblait beaucoup à notre histoire, avec New York, le voyage scolaire, Internet, les pillards informatiques et le F.B.I. D'après l'ami de mon père, il paraît que le scénario était assez intéressant, mais que l'écriture était trop maladroite pour que ça soit publiable.

« Ça sent le petit journaliste de province », a dit devant moi cet ami qui, lui, vit à Paris.

Voilà, je vous ai donc à mon tour raconté l'histoire à ma façon, avec l'aide de Pierre bien entendu. Nous avons écrit un chapitre chacun. Dans les siens, il raconte ce qui lui est arrivé, et moi aussi. Ensuite, nous avons tout relu et corrigé ensemble, et Pierre a saisi le texte sur son ordinateur – à propos, son père lui a offert un nouveau modèle à l'occasion de son passage en quatrième. Pour ceux qui ne sont pas très forts en anglais, nous avons préféré mettre la traduction des mots américains en bas de pages. Peut-être avons-nous fait quelques fautes. L'important, c'est que l'histoire vous ait intéressés.

Mais bien entendu, vous n'êtes pas obligés de nous croire...

GÉRARD DELTEIL

Né en 1939, Gérard Delteil, après des études inachevées aux Beaux Arts, a d'abord exercé la profession de dessinateur de trottoirs. Le roman *N'oubliez pas l'artiste* qui lui a valu le Grand Prix de littérature policière en 1985 est d'ailleurs grandement inspiré par cette expérience de « crayeur ».
Après divers « petits métiers », il devient journaliste et écrivain de romans noirs. Ses enquêtes sur des sujets brûlants alimentent son œuvre littéraire. Quant à l'Amérique latine, où il fait de nombreux voyages à l'occasion de différents reportages, elle lui fournit le cadre de romans d'aventure comme *Chili con carne* paru en 1993.
Avec plus d'une trentaine de livres souvent primés, il est un auteur qui compte sur la scène de la littérature policière française.
Piège sur Internet, son quatrième roman policier pour la jeunesse, a obtenu le Prix des écoles de Saint-Nazaire.

TABLE

Composition JOUVE – 53100 Mayenne
N° 323494k
Imprimé en France par HÉRISSEY - 27000 Évreux
Dépôt imprimeur : 94563 - éditeur n° 33365
31.10.2136.3/01 - ISBN : 2.01.322136.3
Loi n° 49-956 du 16 juillet 1949 sur les publications destinées à la jeunesse
Dépôt légal : Juin 2003